D0590666

Jeroen Visscher & Jurgen Frumau

Louis van Gaal

Hoe smeed je wereldkampioenen?

Omslagfoto: Getty Images by Scott Heavey
Omslag en binnenwerk: Mulder Van Meurs
Graphics: Iris Borst, Henry Hennipman, Freya de Klerk
NUR 482 voetbal
ISBN 978-94-91567-64-3

www.uitgeverijdekring.nl
www.langsdelat.nl
www.turner.nl

Inhoudsopgave

1. Hoe smeed je wereldkampioenen?

Toeval uitsluiten. Dat is wat Van Gaal heeft gedaan sinds zijn entree in juli 2012 als bondscoach van Oranje. Hij gaat ver met het uitsluiten van toeval. Heel ver. Omdat hij ervan overtuigd is dat dat de enige manier is om wereldkampioen te worden. Twee jaar lang hebben we Van Gaal intensief gevolgd. Al zijn interventies hebben we in kaart gebracht en beoordeeld. We spraken tientallen voetbal- en sportcoaches met maar één doel. Antwoord op de vraag: hoe smeed je wereldkampioenen?

In zijn eerste week liet Van Gaal Huis ter Duin verbouwen. Alle spelers op één verdieping, met een centrale plek voor de medische staf én een gezellige ontmoetingsplek voor de spelers om elkaar beter te leren kennen. Snellere wifi. Niet alleen om beter de persoonlijke videofragmenten van de tegenstanders op te kunnen delen. Ook om de spelers hun favoriete hobby beter te laten uitvoeren: gamen.

Het is een van de voorbeelden hoe ver Van Gaal gaat in het uitsluiten van toeval. Alles moet kloppen en de lat ligt daarbij hoog. Voor hem, voor zijn staf en voor de spelers. Hij eist van alle hoofdrolspelers het uiterste om zijn strategie te implementeren. Onvoorwaardelijk presteren is de lat.

We beginnen uiteraard met de visie van de coach zelf. Van Gaal is een ervaren coach die bij zijn start te maken kreeg met de erfenis van vier jaar Van Marwijk. Het EK2012 verliep desastreus voor Oranje en dat stelde Van Gaal voor een uitdaging. Temeer, omdat het risico van een performancedip in zijn eerste maanden groot was.

Gelukkig hoeft de bondscoach het niet alleen te doen. Hij maakte zorgvuldige afwegingen met wie hij de grootste kans maakt wereldkampioen te worden. Hij selecteerde zijn staf op jarenlange samenwerking, specialisten pur sang en veel ervaring met jeugdspelers.

Een van de opdrachten die de KNVB had meegegeven aan Van

Gaal was het inpassen van de jeugd. De selectie maakte hij bekend op zijn eerste persconferentie, ruim een maand na zijn aanstelling. In zijn eerste voorselectie viel vooral op dat, ondanks zijn opdracht om te verjongen, vooral bekende namen terugkeerden. Alleen Mark van Bommel en Wilfred Bouma waren van de EK-selectie niet opgenomen in de voorselectie.

In de uiteindelijke selectie die Van Gaal bekendmaakte op 10 augustus 2012 sneed hij dieper. Naast Van Bommel en Bouma vielen van de oudgedienden ook Boulahrouz, Vlaar, Van der Wiel, Schaars en Luuk de Jong af. Daarvoor in de plaats kwamen veel jonge spelers: Van Rhijn, Viergever, De Vrij, Emanuelson, Maher, Dost en Martins Indi.

Van Gaal paste de strategie van het Nederlands elftal aan. Dat sloot aan bij de opdracht van de KNVB om herkenbaar voetbal te spelen waar het Nederlandse volk zich makkelijk mee identificeert. Aanvallend was zijn belangrijkste aanpassing dat hij startte met echte vleugelspelers. Een links- en een rechtsbuiten die op snelheid een actie buitenom of binnendoor kunnen maken en een goede voorzet op de spits kunnen geven.

Zijn tweede aanpassing noemde Van Gaal zelf 'provocerende pressie'. Een moeilijke term voor een makkelijke aanpassing, die we verderop in dit boek zullen verklaren. We laten zien waarom Van Gaal de wedstrijd tegen Colombia de beste wedstrijd onder zijn leiding noemde.

Voordat de spelers op 13 juni de eerste wedstrijd tegen Spanje spelen, hebben ze de wedstrijd al twee keer gespeeld. Elke mogelijke tegenstander op het WK is door de scouts geanalyseerd. Aanvallende tactiek, verdedigende tactiek, spelhervattingen, team en spelers.

We zullen ook stilstaan bij de sterkhouders van Van Gaal. Welke spelers zijn voor hem de dragende spelers? Sneijder begon bij Van Gaal als aanvoerder maar gleed gaandeweg af. Nu is het de vraag of hij überhaupt deel zal uitmaken van de selectie. Van Persie nam juist de omgekeerde route. Hij begon in de eerste wedstrijd onder Van Gaal op de bank en bleef de hele wedstrijd op de bank. Maar in juni 2013 maakte hij promotie tot aanvoerder. En we volgen Strootman die zich onder Van Gaal snel opwerkte tot sterkhouder. Een zware blessure gooide echter roet in het eten. Hoe lost Van Gaal deze puzzel op?

De selectie die naar Brazilië gaat is opgebouwd uit vier delen: de sterkhouders, de basis, de challengers en de ondersteuners. Voor elke speler die meegaat geldt één belangrijk principe: onvoorwaardelijk presteren. Onvoorwaardelijk, dus zonder voorwaarden, willen spelen voor Oranje. Wie kan dat nog in deze tijd waarin spelers vooral mensen om zich heen verzamelen die vertellen hoe goed ze zijn?

Naast onze eigen spiegel hebben we topcoaches uit andere sporten gevraagd om Van Gaal een spiegel voor te houden. Marc Lammers, Robert Eenhoorn, Joop Alberda, Peter Blangé en Toon Gerbrands doen dat met verve en laten ons zien wat het is om coach in de top te zijn.

We hopen dat coaches na het lezen van dit boek een stap verder gebracht zijn met het verbeteren van de prestaties van hun team. Vanzelfsprekend volgen nog belangrijke interventies van Van Gaal in voorbereiding op en tijdens het WK. Deze interventies kunt u volgen op de website van onze uitgever: www.uitgeverijdekring.nl/louis-van-gaal. We hopen dat we u als lezer inzicht hebben gegeven in het antwoord van Louis van Gaal op de vraag: hoe smeed je wereldkampioenen?

2. De erfenis en de bruidsschat

Zijn start was het einde van een tijdperk. Louis van Gaal kreeg bij zijn aantreden op 1 juli 2012 de erfenis van vier jaren Oranje onder Bert van Marwijk. Maar hij bracht ook zelf wat in: meer dan 25 ervaringsjaren als coach van een club of landenteam. Welke waarde voegt de bruidsschat van Van Gaal toe aan de erfenis van Van Marwijk?

DE ERFENIS VAN VAN MARWIJK

De erfenis van Van Marwijk bestond uit twee duidelijke bestanddelen. Het eerste was het succes. Drie jaren met overwinningen, probleemloze kwalificaties, de runner-up van het WK2010 en een recordreeks gewonnen wedstrijden.

Het succes van Oranje

De strategie van het Nederlands elftal was helder. Een goede balans tussen aanvallen en verdedigen, excelleren in de omschakeling en aanvalsvarianten met een duidelijke focus op opkomende backs, steekballen van Wesley Sneijder en de acties van de buitenspelers zoals Arjen Robben.

De verdediging was al bij de entree van Van Marwijk de achilleshiel van het team, vandaar dat al snel de teamorganisatie 1-4-2-3-1 werd geïntroduceerd. Waarbij de verdedigende middenvelders vooral versterking waren van de vier verdedigers.

Tijdens het WK2010 waren het vooral deze twee verdedigende middenvelders die excelleerden in hun performance. Met rendementen van 90 procent succesvolle 1-1 duels en meer dan 60 procent balveroveringen bij het druk zetten op de tegenstander voerden Mark van Bommel en Nigel de Jong de internationale ranglijsten aan en zetten zij de toon voor de internationale topteams.

De hiërarchie van de spelers in het team was helder. Giovanni van Bronckhorst was op basis van zijn palmares en zijn persoonlijkheid de onbetwiste aanvoerder. Hij deelde met een aantal ervaren spelers de lakens uit in het veld: Wesley Sneijder, Mark van Bommel, Dirk Kuijt, Arjen Robben en Robin van Persie. De andere spelers accepteerden dat volledig, al waren er vanzelfsprekend de gebruikelijke conflicten en afwijkende visies op de selectie en opstelling.

In zijn staf koos Van Marwijk heel bewust voor twee oud-topvoetballers van verschillende clubs aan het begin van hun trainerscarrière, die te boek stonden als evenwichtige persoonlijkheden. In de rest van zijn staf koos Van Marwijk ook voor het team in plaats van voor excellente individuen. Rust, harmonie en teamgeest van de staf waren voor hem belangrijker dan experts op het gebied van bijvoorbeeld videoanalyses en periodisering.

Met die rust, transparante hiërarchie, excellerende verdedigende middenvelders en heldere strategie werd het Nederlands elftal net geen wereldkampioen. Op drie jaren met overwinningen, hoge rendementen, veel waardering en een rondvaart door Amsterdam volgde de teloorgang van Oranje: voor Van Gaal het belangrijkste bestanddeel van de erfenis.

De teloorgang van Oranje

Het was voor het eerst zichtbaar bij de oefenwedstrijd tegen Duitsland op 15 november 2011. Het Nederlands elftal voelde in het veld dat het voorbijgerend was door andere landenteams. Duitsland overklaste Oranje vooral in de tweede helft met effectief en dynamisch voetbal. Die dynamiek bleek vooral op het middenveld met drie box-to-box spelers die aanvallend en verdedigend hoge rendementen haalden en die alle drie steekballen op de aanvallers konden geven. Het bleek de voorbode van de neergang van Oranje te zijn.

Alhoewel er in de kwalificatiereeks geen aanleidingen waren voor veranderingen, bleek Van Marwijk toch gevoelig voor de kritiek op het verdedigende afbraakvoetbal dat wereldwijd was gezien in de finale van het WK. Hij liet zich verleiden tot het veranderen van zijn geliefde teamorganisatie met twee verdedigende middenvelders in een vorm met één verdedigende middenvelder en één creatieve, meer aanvallend ingestelde verdedigende middenvelder.

In de eerste kwalificatiewedstrijden pakte dit erg goed uit. Nederland stond direct aan kop van de poule met mooi en aanvallend voetbal. Oogstrelende aanvalsvarianten brachten Van Marwijk eindelijk waardering voor de speelstijl. Met Rafael van der Vaart als de belangrijkste aangever.

Maar waarom paste Van Marwijk zijn succesvolle strategie aan? Gebruikt om de zwakte van de verdediging te compenseren en beproefd met het team tijdens het WK.

Nigel de Jong maakte in de finale een grove, maar in veler ogen onbedoelde overtreding op Xabi Alonso. Na de finale kreeg hij veel kritiek op deze overtreding. En nadat hij in de Premier League nog een harde overtreding maakte, was dat aanleiding voor Van Marwijk om een van zijn pijlers op het WK te straffen. In dezelfde tijd speelde de discussie van de meer aanvallende uitvoering van de teamorganisatie. Van Marwijk gebruikte het als indirecte interventie om de nieuwe speelwijze te proberen. Na zijn straf raakte De Jong geblesseerd, waardoor er de gehele kwalificatie geen discussie was over het invullen van de teamorganisatie. De angel was er echter nog niet uit.

En de bondscoach had nog een probleem. In de kwalificatie had hij Huntelaar vrijwel alle wedstrijden laten spelen en met succes. Hij scoorde in de kwalificatiewedstrijden twaalf keer en leek eindelijk de strijd om de spitspositie met Robin van Persie in zijn voordeel te beslechten.

Totdat de voorbereiding op het eindtoernooi van het EK2012 startte. Van Marwijk liet in de voorbereidende wedstrijden beide spitsen spelen, maar Huntelaar las uit de speeltijd en de wedstrijden waarin hij startte al af wat hij daags voor de start van het echte toernooi te horen kreeg in een persoonlijk gesprek met Van Marwijk. Van Persie was nummer één voor de spitspositie. Het sierde Huntelaar dat hij zijn boosheid in toom hield en het ongelijk van de bondscoach wilde bewijzen tijdens het toernooi. Maar het dilemma werd onderdeel van de erfenis voor Van Gaal.

Het EK verliep dramatisch. In het veld was er geen onvoorwaardelijke acceptatie van het leiderschap. Er ontstonden eilandjes, groepjes van spelers met dezelfde mening, maar geen eenheid. De strategie werd niet goed uitgevoerd. Vooral in de wedstrijd tegen Denemarken ging de helft van het team druk zetten op de tegenstander, terwijl de andere helft dat niet deed en daarmee een zone van 40 meter vrije ruimte voor de Denen creëerde. Nederland was niet fit. Het team kon in elke wedstrijd slechts 20 minuten de prestaties leveren die gevraagd worden op een EK. Na die 20 minuten nam het rendement van de spelers enorm af; niet voor niets vielen juist toen de eerste tegendoelpunten van Denemarken en Duitsland.

Na twee verloren duels probeerde Van Marwijk tegen Portugal een wanhoopsvariant met Huntelaar en Van Persie. Hij deed afstand van zijn strategie en teamorganisatie en nam geen beslissing in het dilemma Huntelaar of Van Persie. Oranje verloor opnieuw en kon na drie poulewedstrijden puntloos terug naar huis. Van Marwijk kondigde na een paar dagen bedenktijd zijn vertrek aan. De reorganisatie van het Nederlands elftal kon beginnen.

De erfenis van Van Marwijk in een aantal dilemma's voor Van Gaal:

1. Hoe verjong ik de selectie zodanig dat de kwaliteit hoog genoeg is voor het bereiken van de halve finale op het WK?
2. Met welke strategie compenseer ik het gebrek aan verdedigende kwaliteiten?
3. Huntelaar en/of Van Persie?
4. Sneijder en/of Van der Vaart?
5. Welke middenvelders zijn fit genoeg om topprestaties neer te zetten?

DE BRUIDSSCHAT VAN VAN GAAL

Dick Advocaat zei in juli 2012 na het bekend worden van de aanstelling van Van Gaal: 'Hij is gewoon de beste coach van Nederland. En dat meen ik ook. Hij is een man die alles gewonnen heeft, die de meeste prijzen heeft gepakt. Dus die heeft zich wel

bewezen. Of dat lukt met deze groep? Dat wordt interessant.'
(bron: *AD*)

De zoektocht van de KNVB naar een nieuwe bondscoach richtte
zich op een aantal belangrijke profielkenmerken:
   1. **Een coach die kan reorganiseren: verjongen van de**
      selectie met behoud van prestaties
   2. **Een coach die kan presteren met attractief en**
      herkenbaar voetbal
   3. **Een coach die kan innoveren: in/met zijn staf als**
      voorbeeld voor de KNVB en andere clubs

Toentertijd was Mohammed Allach technisch manager van de
KNVB. Hij schreef voor de aanstelling van Van Gaal de toekomst-
visie van de KNVB. Allach: 'Met de visie in de hand hebben we
bewust contact gezocht met Louis van Gaal. We willen hem in
de rol van bondscoach die presteert met Oranje, maar daarnaast
willen we ook dat hij zijn kennis en visie inbrengt om het hele
vertegenwoordigende voetbal van de KNVB op een hoger niveau te
krijgen. Van Gaal heeft heel duidelijke ideeën over bijvoorbeeld
scouting, over medische begeleiding, over videoanalyse, enzo-
voorts. En hij heeft het netwerk om specialisten in innovatie naar
de KNVB te brengen.' (bron: *AD*)

Met Van Gaal stelde de KNVB een zeer ervaren coach aan
voor het Nederlands elftal. Wat nam hij mee aan kennis en ervaring opgedaan tijdens zijn trainersloopbaan?

Van Gaal nam in ieder geval veel kennis en ervaring mee als
coach van een topclub. In 1986 begonnen als assistent-trainer
bij AZ. Daarna bouwde hij een imposant cv op met Ajax, Barcelona, Nederlands elftal, nogmaals Barcelona, nogmaals Ajax, AZ
en Bayern München. En hij heeft veel prijzen gewonnen bij deze
topclubs. Hij werd zeven keer landskampioen, won drie keer de
nationale beker en drie keer de nationale supercup en pakte vijf
internationale prijzen waaronder de Wereldcup met Ajax.

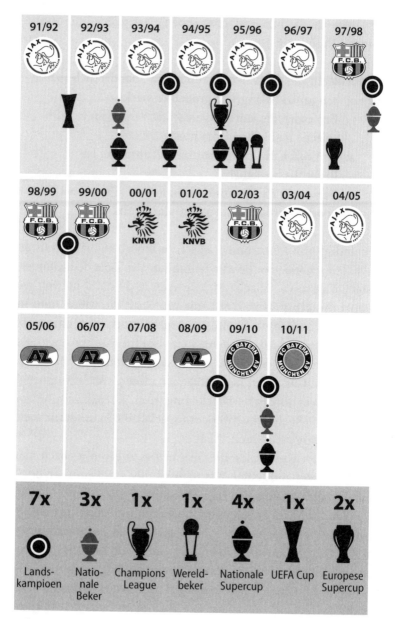

Palmares Van Gaal

Een van de belangrijkste risico's bij de entree van Van Gaal bij een nieuwe club is de performancedip in de eerste periode. Het aanleren van de strategie en de speelwijze van Van Gaal heeft tijd nodig. In onderstaande figuur blijkt dat Van Gaal vooral in de eerste vier maanden een verhoogd risico loopt op die performancedip.

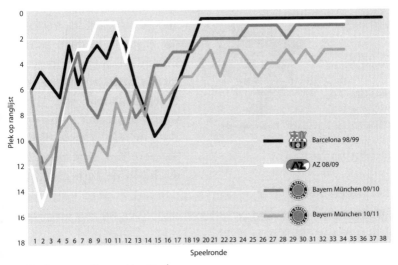

Performancedip van Van Gaal

In zijn bruidsschat zitten ook de lessen van zijn vorige functie als bondscoach. Halverwege de jaren '90 kondigde Van Gaal al aan dat hij na 2000 graag bondscoach wilde worden. In juli 2000 was het zover. Frank Rijkaard nam afscheid met een halve finale en de KNVB stelde Van Gaal aan. Het werd een grote teleurstelling.

In het boek *Een elftal bondscoaches* staat beschreven wat er misging, terwijl het zo mooi startte. 'U ziet hier een gelukkig mens,' zei Van Gaal op de perspresentatie. 'Het is mijn ambitie om met Oranje wereldkampioen te worden'. Maar een bondscoach is toch wat anders dan een clubcoach. 'Alles is anders. Een bondscoach leent een speler van een club. Hij is op dat moment afhankelijk van zijn vorm. Hij weet niet van tevoren of de speler wel in conditie is. En hij moet hem vervolgens beoordelen op één wedstrijd. Dat is toch gek. De volgende interland is pas zes weken later.'

28 Jaar ervaring bij topclubs

Organiseren van structuur

Professionele en innoverende staf

Herkenbaar voetbal passend bij club en selectie

Veel kans voor jonge talenten

Duidelijke visie

Maximale stretching van spelers en staf

Bruidsschat van Van Gaal

Van Gaal koos voor Hoenderloo als trainingslocatie voor Oranje. Serene rust, zonder vertier, met uitstekende faciliteiten. De spelers beleefden dit echter anders en klaagden vooral dat er niets te doen was. Bovendien was er toenemende weerstand tegen de gedegen aanpak van Van Gaal. Aanvoerder Frank de Boer in *NRC Handelsblad*: 'Ik heb Van Gaal gezegd dat hij in de korte tijd dat het Nederlands elftal bij elkaar kwam, te veel wilde en eiste. We trainden vaak twee keer per dag en dan vroeg hij van ons ook nog eens driehonderd procent.'

Van Gaal staat nog steeds achter zijn aanpak. 'De kern van de zaak is dat deze spelers zich geen raad wisten met het verhoogde podium waarop ze terecht waren gekomen. Ze hadden niet de zelfdiscipline om te kunnen voldoen aan de basisvoorwaarden voor de absolute top. Geld en status waren een grote rol gaan spelen. Ze hadden van het goede leven geproefd. Dat was niet meer terug te draaien.'

In september 2001 verloor Oranje met 1-0 van Ierland en daarmee mislukte de missie van Van Gaal. Oranje kwalificeerde zich niet voor het WK2002 in Zuid-Korea en Japan. Op 30 november 2001 maakte Van Gaal zijn afscheid als bondscoach bekend.

De drie belangrijkste lessen die Van Gaal hieruit trok zijn: (1) Te lang heeft hij spelers de hand boven het hoofd gehouden, terwijl de prestaties dat niet rechtvaardigden. De criteria voor het selecteren en opstellen van spelers zijn sindsdien veel belangrijker geworden. (2) Faciliteiten spelen een belangrijke rol voor de sfeer in een selectie. (3) Onvoorwaardelijk kiezen voor Oranje en het leven als topsporter om topprestaties te leveren.

3. De strategie van Oranje

Tijdens het WK gaat het Nederlands elftal spelen met het 1-4-3-3-systeem met de punt naar achteren. Wat houdt dit systeem in en welke spelvarianten kunnen we verwachten in Brazilië? Van Gaal heeft tijdens de kwalificatie al een tipje van de sluier opgelicht. Of verandert alles door de blessure van Strootman?

'Ik verheug me erop dat ik na anderhalf jaar investeren bijna ben waar ik ooit wilde zijn: op het podium van een WK,' zei Louis van Gaal in februari 2014. 'Ik krijg straks de spelers eindelijk een paar weken bij elkaar, al is dat in de praktijk veel korter dan ik had gehoopt. Het beoogde basisteam is waarschijnlijk één week voor vertrek naar Brazilië pas compleet. Eén week! Dat heeft consequenties. Bijvoorbeeld dat we definitief met "de punt naar achteren" zullen spelen op het WK. Dat heeft te maken met de tegenstanders, maar ik heb ook de tijd niet om het oude Ajax-systeem in te slijpen, 3-4-3 met een echte nummer 10. Dat lukt gewoon niet in een weekje. Daarvoor is die speelwijze veel te moeilijk, luistert de onderlinge afstemming té nauwkeurig.' (bron: *AD*)

HET SYSTEEM: 1-4-3-3 MET DE PUNT NAAR ACHTEREN, OF TOCH MET DE PUNT NAAR VOREN?

Vanaf de start heeft Louis van Gaal afscheid genomen van het systeem van zijn voorganger. Speelde het Nederlands elftal onder Van Marwijk nog standaard 1-4-2-3-1, onder Van Gaal werd dit het welbekende 1-4-3-3-systeem. Dit systeem vormde de hele kwalificatiereeks de basis van de speelwijze onder Van Gaal. De bondscoach ziet twee belangrijke voordelen. Ten eerste wordt het veld groot gehouden. Dit is een voordeel voor de aanvallende speelwijze van het Nederlands elftal. Daarnaast is verdedigend de veldbezetting optimaal om overal waar nodig druk te kunnen zetten op de tegenstander.

Van Gaal brak bij de start van zijn bondscoachschap niet alleen met het oude systeem, maar paste ook de profielen van de buitenspelers en de middenvelders aan. Zo gaf hij de voorkeur aan buitenspelers, die hun tegenstander buitenom kunnen passeren om vervolgens met een voorzet de spits te bedienen. Daardoor vond Robben zich opeens terug op de linkerflank. En was er onder Van Marwijk nog ruimte voor twee controlerende middenvelders (De Jong en Van Bommel), in het team van Van Gaal is er vooralsnog maar plaats voor één controlerende middenvelder. Naast de controlerende middenvelder kenmerkt het middenveld van Van Gaal zich door een middenvelder met diepgang (box-to-box speler) en iemand die moet zorgen voor de creativiteit.

Gedurende de kwalificatie heeft Van Gaal geëxperimenteerd met twee varianten van het 1-4-3-3-systeem. In de zomer van 2012 begon Van Gaal met de punt naar achteren. In dit systeem heeft de centrale middenvelder een controlerende taak. Naast deze controlerende taak in de verdedigende fase, is de controleur gedurende de aanvallende fase het aanspeelpunt voor het centrale verdedigingsduo. Hij zal dan ook altijd trachten een driehoek te vormen met deze twee medespelers.

De verdediging kan hierbij helpen als de backs dieper gaan staan en het centrale verdedigingsduo verder uit elkaar. Daarmee de spitsen uit elkaar drijvend en de controlerende middenvelder vrij makend. Als de verdedigende middenvelder in balbezit is, kan hij verder de opbouw verzorgen. Spelers die Van Gaal voor deze rol heeft geselecteerd zijn onder anderen Nigel de Jong, Stijn Schaars en Jordy Clasie.

In maart 2013 gaf Van Gaal aan dat hij niet tevreden was over het gekozen systeem. Tegen Estland koos hij dan ook voor het systeem 1-4-3-3 met de punt naar voren. Hierdoor kwam de zogenaamde nummer 10-positie beschikbaar voor spelers als Sneijder, Van der Vaart en Maher. Over de reden van de wijziging zei Van Gaal het volgende:

'Van der Vaart en Sneijder kunnen het als links- of rechtshalf niet belopen. Die twee hebben echter wel een paar exceptionele wapens. Dus kies ik ervoor om nu met een nummer 10

Basisopstelling 1-4-3-3: punt naar voren
(opstelling Nederland-Roemenië d.d. 26/03/2013)

Basisopstelling 1-4-3-3: punt naar achteren
(opstelling Turkije-Nederland d.d. 15/10/2013)

te spelen als zij meedoen. Met de punt naar vóren op het middenveld, dus. En dat betekent automatisch ook een keuze voor Sneijder óf Van der Vaart. Ze kunnen in mijn ogen niet beiden spelen.' (bron: *AD*)

Vanaf dat moment heeft Van Gaal de meeste wedstrijden met de punt naar voren gespeeld. Toch zegt Van Gaal dat Oranje tijdens het WK met de punt naar achteren gaat spelen. Naast de tegenstanders en de korte voorbereidingstijd speelt ook de fitheid en vorm van de nummer 10 (Van der Vaart, Sneijder, Maher) een rol.

VASTE SPELVARIANTEN BINNEN HET 1-4-3-3-SYSTEEM

Binnen het 1-4-3-3-systeem kent het huidige Nederlands elftal een aantal standaard spelvarianten. Zowel aanvallend als verdedigend. De belangrijkste aanvalsvarianten van Van Gaal zijn:

Aanval via de buitenspelers (buitenlangs)

Met de klassieke buitenspelers wil Van Gaal niet alleen het rendement van Robben en Lens verhogen maar ook de aanvoer naar Van Persie vergroten. De basisvariant is dat de buitenspeler de achterlijn haalt, via een steekbal vanuit het middenveld of door een individuele actie, om hem vervolgens voor te zetten op de spits. Een goed voorbeeld is de actie van Robben tegen Roemenië waar Van Persie via een kopbal 2-0 maakte.

Om deze variant mogelijk te maken heeft Van Gaal in eerste instantie Lens aan de rechterkant en Robben aan de linker

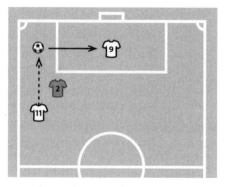

Aanvallen via buitenspelers (buitenlangs)

kant opgesteld. Vanaf de wedstrijd tegen Estland week Van Gaal hiervan af en zette hij Robben rechts neer en Lens op links. Dit werd ondersteund door gesprekken met beide spelers die hun voorkeur voor deze opzet hadden aangegeven.

Aanval via buitenspelers (binnendoor)

Op het moment dat Robin van Persie zich uit laat zakken ontstaat er ruimte voor de buitenspelers om naar binnen te trekken en daarmee zelf voor direct gevaar te zorgen. Dit kan door een individuele actie of door een steekbal van de creatieve middenvelder. Van Gaal over deze variant:

'Ik wil dat de buitenspelers zo diep mogelijk spelen en mijn spits (Robin van Persie, red.) mag zelfs een klein beetje terugzakken naar het middenveld. Dan moeten de buitenspelers in dat gat duiken, want er moet bezetting voor het doel zijn.' (bron: vi.nl)

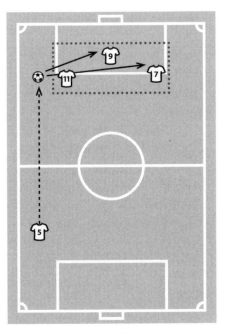

Aanvallen via buitenspelers (binnendoor)

Opkomende backs

Naast de verdedigende taken hebben de beide backs bij Oranje ook een belangrijke aanvallende taak. Door op te komen en vanaf de helft van de tegenstander een voorzet in het 16-metergebied te geven, zorgen ze voor een extra aanvoerlijn naar de aanvallers. Van Gaal ziet hier vooral een rol voor Daryl Janmaat: 'Ik denk dat Lens altijd iemand achter zich nodig heeft die eroverheen komt omdat Lens niet de dribbeltechniek heeft van Arjen Robben.' (bron: vi.nl)

Aanvallen via opkomende backs (met voorzet)

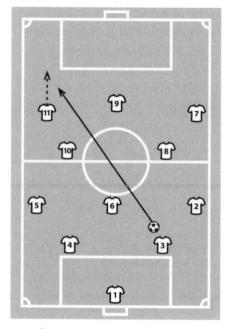
Aanvallen via diagonale pass

Dat Janmaat een uitstekende voorzet in de benen heeft bewees hij bij de 1-0 van Nederland-Hongarije en bij de 2-0 in de wedstrijd Nederland-Estland.

Diagonale pass

Het centrale verdedigersduo staat er in de visie van Van Gaal niet alleen om de bal af te pakken en deze zo snel mogelijk in te leveren bij de controlerende middenvelder. Indien mogelijk dienen de centrale verdedigers met een lange pass de aanvallers rechtstreeks in stelling te brengen. Er moet dan wel ruimte zijn voor de buitenspelers om de actie te maken. In het interview na de wedstrijd Nederland-Frankrijk noemde Van Gaal Ron Vlaar een van de spelers die dit kunnen.

Provocerende pressie

Op de vraag of de verdedigende linie de zwakste schakel is van het huidig Oranje antwoordt Van Gaal steevast dat je verdedigt met het hele team. Zo moet de keeper de ruimte net achter de verdedigende linie bewaken. De controlerende middenvelder mag zich niet weg laten lokken, en alle linies moeten kort op elkaar spelen om op het juiste moment pressie te kunnen uitoefenen op de tegenstander.

Danny Blind zei in een presentatie tijdens een seminar: 'De afstand tussen de laatste linie en de spits moet minder dan 25 meter zijn. Uit onze analyse blijkt dat op dit moment in 75% van de wedstrijden die afstand 21 meter is.'

Ook de afstand tussen de verdedigers onderling is een belangrijk gegeven. Nogmaals Blind: 'De afstand tussen de verdedigers mag maximaal 10 meter zijn; zeker geen 15 meter. In de wedstrijd tegen Colombia voerden we dat met 10 man erg goed uit.'

Een nieuw begrip dat Louis van Gaal daarbij heeft geïntroduceerd is de provocerende pressie. Dit betekent dat de pressie niet direct op de 16-meterlijn van de tegenstander begint maar dichter in de buurt van de middellijn. Het idee hierbij is dat je bij een balverovering direct ruimte hebt achter de laatste linie

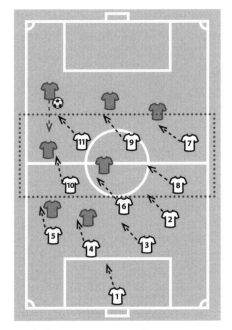

Verdedigen via provocerende pressie

van de tegenstander. Ruimte die ideaal is voor de snelle aanvallers van het Nederlands elftal.

Volgens Van Gaal is het Nederlands elftal gegroeid in het gezamenlijk druk kunnen zetten. In maart 2013 complimenteerde Louis van Gaal na de wedstrijd tegen Roemenië zijn team met de beste wedstrijd tot dan toe onder zijn leiding. Het was gelukt om een groot deel van de wedstrijd (75 minuten) met pressie op de tegenstander te voetballen. Na de met 8-1 gewonnen wedstrijd Nederland-Hongarije op 11 oktober 2013 gaf Van Gaal in het interview met Hans Kraay jr. aan dat het mooiste wat hij had gezien was de 90 minuten pressie die het Nederlands elftal op de mat had kunnen leggen. Nog niet altijd op het juiste moment en in de goede samenwerking, maar toch een grote stap richting het eindtoernooi in Brazilië.

4. Het interventiemodel van de coach

Het doel van elk sportteam is winnen. Winnen van wedstrijden en daarmee het winnen van competities en eindtoernooien. In de media is discussie over de invloed van de coach op het uiteindelijke resultaat. 'Tsja, met Messi in mijn ploeg kan ik ook wel kampioen worden' is daarbij een vaak gebruikt 'argument'. Wat is nu de invloed van de coach op de prestaties van het team? Wat kan de coach doen om met het team kampioen te worden?

HET KEUZEMENU

In samenwerking met meer dan twintig topcoaches van binnen en buiten de voetbalsport hebben we een model ontwikkeld om de bijdrage van een coach inzichtelijk te maken. Een keuzemenu, een interventiepalet van activiteiten en interventies die een coach kan doen, te gebruiken door coaches en liefhebbers. Door coaches om vanuit eigen visie en stijl bewust te werken aan het verbeteren van de teamprestaties. Door ons als liefhebbers, zowel supporters als pers, om het werk en de keuzes van een coach beter te begrijpen. Na het bestuderen van de 'menukaart voor coaches' zal geen discussie bij het koffieapparaat meer hetzelfde zijn.

DE GERECHTEN OP HET MENU

De activiteiten waarmee een coach de prestatie van het team kan verbeteren zijn te verdelen in vier brokstukken:

1. Implementeren visie coach
2. Selecteren spelers
3. Opstellen en verbeteren spelers
4. Beïnvloeden wedstrijdverloop

De brokstukken worden in de komende paragrafen verder uitgewerkt in onderliggende activiteiten. Niet elke coach zal daarbij elke activiteit op dezelfde manier uitvoeren. Of zelfs elke activiteit opnemen in het programma. Afhankelijk van de situatie bij de club en de persoonlijke voorkeursstijl kan een coach bijvoor-

IMPLEMENTEREN VISIE COACH

SELECTEREN SPELERS

COACH

1.1 Ophalen van kennis over de club
1.1.1 Inventariseren structuur en verantwoordelijkheden
1.1.2 Inventariseren visie en ambities club
1.1.3 Inventariseren spelersgroep
1.1.4 Inventariseren staf
1.1.5 Inventariseren jeugdopleiding
1.1.6 Inventariseren faciliteiten

1.2 Opstellen persoonlijk plan

1.3 Vastleggen van gezamenlijke afspraken met club
1.3.1 Vastleggen visie, ambities en doelstellingen van het seizoen
1.3.2 Vastleggen van financiële afspraken

1.4 Beëindigen functie van coach
1.4.1 Aankondigen vertrek
1.4.2 Overdragen van kennis en ervaring
1.4.3 Afscheid nemen

STAF

1.5 Samenstellen staf
1.5.1 Kennismaken met staf
1.5.2 Aanstellen nieuwe assistent(en)
1.5.3 Ontslaan van stafleden
1.5.4 Aanstellen overige stafleden

SELECTIE

1.6 Opstellen criteria voor selectie

1.7 Opstellen profielen voor posities

1.8 Samenstellen selectie
1.8.1 Beoordelen voorgaande selectie
1.8.2 Vaststellen vertrekkende spelers
1.8.3 Vaststellen nieuwe spelers instroom
1.8.4 Vaststellen nieuwe spelers doorstroom

SPELERS

1.9 Uitvoeren analyses spelers
1.9.1 Analyseren fitheid
1.9.2 Analyseren persoonlijkheid
1.9.3 Analyseren thuissituatie

1.10 Vaststellen dragende spelers (sterkhouders)
1.10.1 Vaststellen aanvoerder
1.10.2 Vaststellen reserve-aanvoerder
1.10.3 Vaststellen spelersraad
1.10.4 Vaststellen informele leiders

FACILITEITEN

1.11 Bepalen verbeteringen faciliteiten

TEAMSTRATEGIE

1.12 Bepalen teamdoelstellingen

1.13 Bepalen teamstrategie

1.14 Bepalen teamorganisatie

1.15 Bepalen speelwijze

START

1.16 Creëren van gezamenlijk startpunt
1.16.1 Creëren van gezamenlijk startpunt met staf
1.16.2 Creëren van gezamenlijk startpunt met dragende spelers
1.16.3 Creëren van gezamenlijk startpunt met selectie

REGELS

1.17 Bepalen gedragsregels

BUITENWERELD

1.18 Beïnvloeden beleidsbepalers

1.19 Beïnvloeden beloftenelftal

1.20 Beïnvloeden jeugdselecties

1.21 Beïnvloeden andere clubs

1.22 Beïnvloeden spelers

1.23 Beïnvloeden media
1.23.1 Creëren gezamenlijk startmoment met pers
1.23.2 Kanaliseren social media
1.23.3 Communiceren gedragsregels media en spelers

WEDSTRIJDEN

2.1 Analyseren prestaties voorgaande wedstrijden eigen team
2.1.1 Analyseren prestaties voorgaande wedstrijden team
2.1.2 Analyseren prestaties voorgaande wedstrijden spelers
2.1.3 Analyseren prestaties voorgaande wedstrijden spelers bij clubs

2.2 Analyseren prestaties voorgaande wedstrijden tegenstander
2.2.1 Analyseren prestaties voorgaande wedstrijden team
2.2.2 Analyseren prestaties voorgaande wedstrijden spelers
2.2.3 Analyseren prestaties voorgaande wedstrijden spelers bij clubs

2.3 Koppelen spelers aan profiele

2.4 Rangschikken spelers binnen profielen

2.5 Opstellen voorselectie

2.6 Opstellen definitieve selectie

2.7 Oproepen plaatsvervangers

EINDTOERNOOI

2.8 Analyseren prestaties voorgaande wedstrijden eigen team
2.8.1 Analyseren prestaties voorgaande wedstrijden team
2.8.2 Analyseren prestaties voorgaande wedstrijden spelers
2.8.3 Analyseren prestaties voorgaande wedstrijden spelers bij clubs

2.9 Analyseren prestaties voorgaande wedstrijden tegenstanders
2.9.1 Analyseren prestaties voorgaande wedstrijden team
2.9.2 Analyseren prestaties voorgaande wedstrijden spelers
2.9.3 Analyseren prestaties voorgaande wedstrijden spelers bij clubs

2.10 Vaststellen segmentatie selectieopbouw

2.11 Koppelen spelers aan profiele

2.12 Rangschikken spelers binnen profielen

2.13 Opstellen voorselectie

2.14 Opstellen definitieve selectie

2.15 Oproepen plaatsvervangers

Interventiemenu

OPSTELLEN SPELERS

PERIODISERING

3.1 Opstellen periodisering
3.1.1 Opstellen trainingschema
3.1.2 Opstellen rustschema
3.1.3 Opstellen voedingschema
3.1.4 Opstellen slaapschema
3.1.5 Opstellen reisschema

ANALYSE

3.2 Analyseren prestaties voorgaande wedstrijden eigen team
3.2.1 Analyseren prestaties eigen team
3.2.2 Analyseren prestaties eigen spelers
3.2.3 Analyseren spelhervattingen

3.3 Analyseren prestaties voorgaande wedstrijden tegenstander
3.3.1 Analyseren prestaties tegenstander team
3.3.2 Analyseren prestaties tegenstander spelers
3.3.3 Analyseren spelhervattingen tegenstander

3.4 Analyse prestaties op trainingen eigen team
3.4.1 Analyseren prestaties eigen team
3.4.2 Analyseren prestaties eigen spelers
3.4.3 Analyseren spelhervattingen

WEDSTRIJDSTRATEGIE

3.5 Vaststellen strategie
3.5.1 Vaststellen aanvallende strategie
3.5.2 Vaststellen verdedigende strategie
3.5.3 Vaststellen strategie spelhervattingen

OPSTELLING

3.6 Bepalen centrale as

3.7 Bepalen opstelling

3.8 Maken van afspraken voor spelhervattingen

TRAINEN

3.9 Trainen strategie
3.9.1 Trainen aanvallende strategie
3.9.2 Trainen verdedigende strategie
3.9.3 Trainen strategie spelhervattingen

BEINVLOEDEN WEDSTRIJDVERLOOP

ANALYSE

4.1 Analyseren prestaties eigen team

4.2 Analyseren prestaties tegenstander

WISSELEN

4.3 Prikkelen basisopstelling door warmlopen speler

4.4 Wisselen van speler

4.5 Wisselen van teamorganisatie

4.6 Wisselen van strategie

COMMUNICEREN

4.7 Aanwijzing geven aan speler

4.8 Aanwijzen speler bij spelhervatting

4.9 Beïnvloeden arbitraal sextet

4.10 Beïnvloeden publiek

beeld in meer of mindere mate zijn dragende spelers (sterkhouders) betrekken bij de keuze van de teamstrategie of het opleggen van de gedragsregels.

Ook zal het keuzemenu van de coach de komende jaren alleen maar groter worden dankzij het beschikbaar komen van nieuwe kennis en technieken. Denk hierbij aan de discussie om het 'Hawk eye'-systeem ook in het voetbal toe te passen. Daarmee kan een coach een beslissing van een scheidsrechter aanvechten.

1. Implementeren visie coach

Het eerste brok werk van een coach is om de basis neer te zetten voor zijn periode als coach van het nieuwe team. Veel van de acties genoemd onder dit deel van het model vinden plaats op het moment dat de coach zijn entree maakt bij de club. Dit is het moment dat de coach vanuit zijn visie een stempel kan drukken op het elftal én op de club. In grote lijnen zijn vier soorten activiteiten te herkennen die een coach kan toepassen.

1. Het op één lijn krijgen van de visie van de coach en de club

Wat is het langetermijnplaatje dat de club voor ogen heeft en welke kortetermijndoelen verwachten ze? Belangrijke vragen voor een coach om direct bij de start duidelijkheid over te hebben. Daarbij een afweging makend of het droombeeld van de club wel aansluit bij de beschikbare middelen. Mocht hier licht tussen zitten dan is een mogelijk snelle aftocht een reëel gevaar waar de coach rekening mee moet houden.

Alfred Schreuder, coach bij FC Twente, geeft aan waarom de match tussen de visie van de coach en de visie van de club zo belangrijk is. 'Als ik kritisch kan zijn of een club bij mij past of niet, dan zal ik dat zeker doen. Wil de club werken vanuit de jeugd en opleiding om uiteindelijk weer spelers door te verkopen? Staat de club in Nederland bekend als een opleidingsinstituut? Om dat te worden heb je belangrijke randvoorwaarden nodig. Randvoorwaarden om een goede mix van jonge talenten te kunnen ontwikkelen.

Ik vind het belangrijk dat de kleedkamers, trainingsvelden en krachtruimtes dicht bij elkaar zijn. De afstand naar het veld mag niet te ver zijn. Het gaat om details. Ik pretendeer een aanvallende voetbalstijl, dus moet er veel over de grond gespeeld worden. Het veld moet dan goed zijn, inclusief de trainingsvelden.

Voorlopig hoop ik nog bij FC Twente werkzaam te zijn. Voordat ik ooit zal tekenen bij een nieuwe club, kijk ik altijd naar de spelersgroep. Wie zijn de topspelers en welke spelers zijn eigenlijk niet goed genoeg om mijn ambities te realiseren? Vanzelfsprekend in relatie tot hun contracten. Over beide groepen wil ik afspraken maken met de directie van een nieuwe club. Welke topspelers zullen vertrekken omdat hun contract over een jaar afloopt? En welke spelers moeten er vertrekken om een hoger niveau te kunnen halen?'

2. Samenstellen staf

Neem je als coach je eigen staf mee? Of ben je het type om met de zittende staf samen te werken en deze te ontwikkelen? Beide keuzes kunnen werken zolang een aantal essentiële zaken zijn geregeld. De staf moet zowel naar de pers als naar de spelers één geheel vormen. Binnen de staf moet ruimte en vertrouwen zijn om ook de moeilijke discussies met elkaar aan te gaan. Veel topcoaches hebben dan ook een assistent die ze graag mee nemen naar een nieuwe club. Een vertrouwenspersoon voor de coach, maar ook een assistent die kritisch kan en durft te zijn. De laatste jaren wordt de gemiddelde staf steeds groter. Van psychologen tot en met specialisten per linie.

Foppe de Haan heeft zijn bedenkingen over deze ontwikkeling. 'Voordat ik begon bij Jong Oranje heb ik eerst alle mensen van de staf bezocht. Het team is voor mij de band. Die rolt en dat zie je aan de buitenkant. Maar daarbinnen zit de velg. En als die velg goed is, dan kan je de band hard oppompen. De velg, dat is het team binnen het team. De dokter, de masseur, de teammanager, de assistent-coach, noem maar op. Daar hebben ze er nu veel te veel van. Als je met je hele elftal op stap gaat dan hebben ze 24 spelers en 28 begeleiders! De ene is natuurlijk weer wat belangrijker dan de andere, maar iedereen vindt zichzelf ook zo belangrijk.'

3. Creëren startpunt met selectie

Na het samenstellen van de staf komt de focus op de selectie te liggen. Welke spelers hebben een aflopend contract? Welke linie heeft een kwaliteitsimpuls nodig? En van welke contractspelers moet de club afscheid nemen? Zodra de selectie compleet is, moeten de individuele doelen van de spelers op één lijn komen te liggen met die van het gehele team. Eventueel aanwezige onderhuidse frustraties uit eerdere seizoenen/eindtoernooien moeten worden uitgesproken. Hoe wil men als team met elkaar omgaan? Het startpunt kortom om als één team te gaan opereren, ook naar de buitenwereld.

4. Vaststellen teamstrategie

Aan de hand van de eigen visie, de visie van de club en beschikbare selectie wordt uiteindelijk de teamstrategie vastgelegd. Keuzes in standaard teamorganisatie (1-4-4-2, 1-4-2-1-3 enz.) en bijbehorende speelwijze worden vastgesteld door de coach, in overleg met de staf en eventueel met spelers.

2. Selecteren spelers

Een brokstuk aan activiteiten waar vooral een bondscoach intensief mee te maken heeft is het selecteren van de spelers. Welke spelers zijn in vorm en passen in het profiel? Ook een clubcoach heeft te maken met deze activiteiten. Welke contractspelers stelt hij op voor de eerstvolgende wedstrijd en wie zet hij op de tribune? Voor een eindtoernooi vindt eenzelfde selectieproces plaats, maar de bondscoach moet ook kijken naar de groepsdynamiek. Bij een succesvol eindtoernooi kan een groep meer dan zes weken op elkaars lip zitten. Dat vraagt een andere kijk op de groep die meegaat naar het WK dan tijdens de kwalificatiewedstrijden.

Gertjan Verbeek hamert op de drijfveren van spelers en dan met name op het verlangen naar prestaties. 'Ik geloof alleen in positieve drijfveren, gebaseerd op een verlangen. Als de drijfveer van een speler gebaseerd is op angst, dan is hij op een gegeven moment uitgeknokt. Dan zie je zijn prestatiecurve naar beneden gaan. Dat is vaak het probleem met oudere spelers. Zij hebben het verlangen niet meer. Ze hebben alles al bereikt en lopen (onbewust) op hun laatste benen. Oudere spelers vinden ook dat ze minder mogen gaan doen. Daar gaat het mis. Als je minder gaat doen, ga je ook minder presteren. Dus kom je op de bank terecht. Dat zijn ze niet gewend. Dat maakt ze onzeker. Dat geeft een slecht gevoel. Ze worden niet meer gevraagd voor interviews. Ze staan niet meer in het middelpunt van de belangstelling bij de handtekeningjagers. Einde oefening.

Wat je daar als coach aan kan doen? Op het moment dat mensen niet willen houdt het op. Daar kun je als coach niets aan doen. Het begint bij willen en als mensen niet willen, dan moet je direct afscheid van ze nemen.

Klaas-Jan Huntelaar had de eerste keer onder Van Marwijk het verlangen om mee te gaan naar het toernooi. Dat is een heel ander verlangen dan het tweede toernooi onder Van Marwijk. Hij voelde zich basisspeler en had het verlangen om te spelen. Als dat verlangen niet wordt ingevuld, werkt dat contraproductief. Dus had Van Marwijk hem beter niet kunnen meenemen.

Zo moet Van Gaal straks mogelijk ook kiezen tussen Van der Vaart en Sneijder. Neemt hij ze alle twee mee dan is het maar de vraag of ze hun rol allebei kunnen accepteren.'

Bij het selecteren van de spelers zijn de sterkhouders van essentieel belang voor de doorvertaling van de visie van de coach naar prestaties op het veld.

3. Opstellen en verbeteren spelers

Het verbeteren van spelers gebeurt op fysiek, technisch/tactisch en op mentaal niveau. Dankzij nieuwe kennis en technieken wordt de begeleiding van spelers steeds professioneler. Hartslagmeters tijdens de wedstrijd zijn binnen het voetbal (nog) verboden maar bij een gemiddelde training niet meer weg te denken.

Dennis Demmers, assistent-coach van Go Ahead Eagles, over hartslagmeters bij zijn club: 'We hebben sinds vorig seizoen hartslagmeters voor de trainingen ingevoerd. Realtime. Kunnen we tijdens de training met de laptop zien of iedereen goed traint, of sommigen overbelast raken of niet herstellen. De inspannings-fysioloog bewaakt de hartslagen tijdens de training, waardoor we als coaches kunnen ingrijpen. Als een speler over zijn maximum belasting gaat, wordt hij uit de training gehaald. We hebben nu een speler uit België erbij gekregen. Hij is heel anders gewend te trainen. Door de hartslagmeters zien we dat hij vooral in 6 vs 6, in vier blokjes van acht minuten, na de derde keer moeizaam herstelt. Dan doet hij de vierde keer dus niet mee.

Dit is ingevoerd onder coach Ten Hag. Hij had een heel dui-delijke visie over de club en het team. Na zijn vertrek ben ik ge-bleven en hebben we mede op verzoek van de club en in nauw overleg met de nieuwe hoofdcoach veel van die werkwijze door-gezet. Ik bewaak nu dat soort zaken. We blijven ermee werken en samen met de fysio zetten we weer stapjes verder.'

De opbouw voor verbeteringen is grofweg in de volgende stadia te verdelen. De coach begint met het team de voorgaande wed-strijd te evalueren. Hier komen verbeterpunten uit voort die sa-men met de al bekende ontwikkelpunten worden opgepakt bij de verschillende trainingssessies. Als de volgende wedstrijd nadert worden de trainingen steeds wedstrijdspecifieker. Het simule-ren van de komende wedstrijd via een 11-tegen-11-partijspel, het trainen op specifieke aanvals- en verdedigingsvarianten en het oefenen op spelhervattingen zijn voorbeelden van een typische wedstrijdvoorbereiding.

4. Beïnvloeden wedstrijdverloop

Als de spelers eenmaal op het veld staan, is de invloed van de coach nog maar beperkt. Niet alleen omdat het in de grotere sta-dions lastig is om jezelf als coach verstaanbaar te maken, maar ook omdat mensen bij vermoeidheid (en vol met emoties) min-der goed informatie tot zich kunnen nemen. Eventuele aanwij-zingen moeten dan ook kort en krachtig zijn en eenvoudig te ver-werken en toe te passen. Een emotionele coach als Huub Stevens levert mooie camerabeelden op, maar zal niet meer bereiken dan een type als Wim van Hanegem die rustig op de bank blijft zitten. De beperkte opnamecapaciteit van spelers in het heetst van de strijd maakt ook de invloed van de coach tijdens de rust beperkt. Ook hier geldt dat alleen een beperkte hoeveelheid informatie echt doordringt tot het team.

Leo Beenhakker vertelt over zijn tijd als coach van Real Madrid en hoe moeilijk het kan zijn om je spelers tijdens de wedstrijd te bereiken. 'Als ik in het Bernabeu zit of in Camp Nou met honderdduizend toeschouwers in mijn nek, dan kan ik lastig communiceren met de spelers. Dus moet ik voordien een relatie met met name de dragende spelers opbouwen en ze goed leren kennen. Wanneer ik dan op het veld iets moet veranderen, heb ik voldoende aan een paar aanwijzingen via deze spelers, die ook weten dat ze met name in dode spelmomenten oogcontact zoeken met de bank. Het meeste bespreek je natuurlijk voor de wedstrijd. Alle scenario's kennen ze. Aan de spelers de verantwoordelijkheid om voorop te gaan in de strijd.'

VOORBEELD VAN EEN SAMENGESTELD MENU – VAN EERSTE TELEFOONTJE TOT EERSTE KEER OP HET VELD

Door de activiteiten uit te zetten in de tijd wordt het procesverloop zichtbaar dat een coach met zijn team doormaakt richting hun einddoel, het winnen van wedstrijden en competities. De hierna volgende uitwerking van de activiteiten die een coach verricht in zijn beginperiode bij een club geeft een goed beeld van de complexe situatie die een coach binnen het huidige topvoetbal moet managen. De hoeveelheid activiteiten bekijkend is het niet gek dat hoofdcoaches steeds meer als manager worden omschreven in plaats van als veldcoach.

Wat doet een coach als een club hem voor het eerst belt? De club zegt geïnteresseerd te zijn in zijn diensten en er wordt een eerste gesprek geregeld tussen coach en directie. Dat gesprek is vaak verkennend van karakter. Visies en ambities worden uitgewisseld. 'Waarom denkt de club aan mij als coach?' en 'Hoe past mijn visie op het voetbalspel bij de club?' zijn typische vragen die

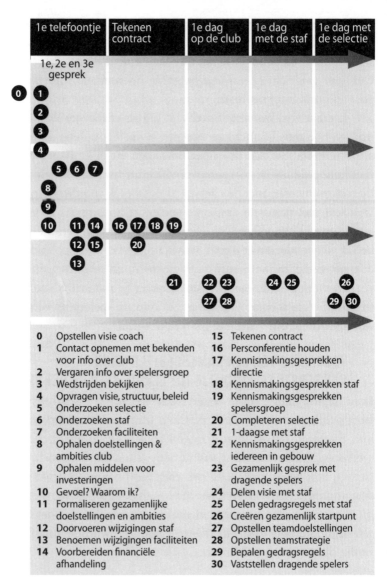

1e telefoontje	Tekenen contract	1e dag op de club	1e dag met de staf	1e dag met de selectie

1e, 2e en 3e gesprek

0 1
2
3
4
5 6 7
8
9
10 11 14 16 17 18 19
12 15 20
13
21 22 23 24 25 26
27 28 29 30

0	Opstellen visie coach	
1	Contact opnemen met bekenden voor info over club	
2	Vergaren info over spelersgroep	
3	Wedstrijden bekijken	
4	Opvragen visie, structuur, beleid	
5	Onderzoeken selectie	
6	Onderzoeken staf	
7	Onderzoeken faciliteiten	
8	Ophalen doelstellingen & ambities club	
9	Ophalen middelen voor investeringen	
10	Gevoel? Waarom ik?	
11	Formaliseren gezamenlijke doelstellingen en ambities	
12	Doorvoeren wijzigingen staf	
13	Benoemen wijzigingen faciliteiten	
14	Voorbereiden financiële afhandeling	
15	Tekenen contract	
16	Persconferentie houden	
17	Kennismakingsgesprekken directie	
18	Kennismakingsgesprekken staf	
19	Kennismakingsgesprekken spelersgroep	
20	Completeren selectie	
21	1-daagse met staf	
22	Kennismakingsgesprekken iedereen in gebouw	
23	Gezamenlijk gesprek met dragende spelers	
24	Delen visie met staf	
25	Delen gedragsregels met staf	
26	Creëren gezamenlijk startpunt	
27	Opstellen teamdoelstellingen	
28	Opstellen teamstrategie	
29	Bepalen gedragsregels	
30	Vaststellen dragende spelers	

Proces van de entree van de coach

in zo'n eerste gesprek worden behandeld. In dit kennismakings-gesprek wordt niet of nauwelijks gesproken over zaken als be-schikbare middelen om bijvoorbeeld de selectie te versterken en over eigen contractuele zaken zoals salaris en mogelijke afkoopsommen. Dat komt in de vervolggesprekken aan bod. De coach kan ook besluiten om de contractuele punten in zijn geheel uit te besteden aan een zaakwaarnemer. Dit is vooral interessant voor een coach als een 'grotere' club zich aandient omdat hier de financiële ruimte groter is. Bij kleinere clubs zit de meerwaarde in een goede invulling van de juridische aspecten (bijvoorbeeld wie financieel risico draagt bij vervroegd ontslag).

In de periode rond de gesprekken probeert de coach zoveel mogelijk informatie over de nieuwe club in te winnen. Mogelijke bronnen zijn mensen uit eigen netwerk, videobeelden van de laatste wedstrijden en internet. Het liefst zou een coach ook al willen rondkijken op de club. Dit is echter vaak onmogelijk door de (media)aandacht die dat zal trekken.

De eigen informatie gecombineerd met de informatie van de club moet een compleet plaatje geven of visie en ambitie van de coach voldoende aansluiten bij de club en of de beschikbare middelen (spelers maar ook bijvoorbeeld faciliteiten) aansluiten bij de gewenste doelen. Het ideale plaatje daarbij is dat de visie en ambitie van de club en coach exact op één lijn liggen en dat er een onuitputtelijke hoeveelheid middelen tot de beschikking van de coach staat om de doelen te bereiken. Dit is helaas zelden het geval. Een coach moet in dat geval de afweging maken of de geconstateerde verschillen in denkwijze tussen club en hemzelf werkbaar zijn. Vooral voor beginnende coaches is de verleiding groot om ondanks grote verschillen toch in te stemmen met een contract. Niet alle coaches hebben de clubs voor het uitkiezen en als de coach ook nog eens kostwinner is van een gezin wordt het lastig om nee te zeggen. Menig coachcontract is uiteindelijk vroegtijdig verbroken door verschillen in visie op de koop toe te nemen.

Zodra de club en de coach eruit zijn, start de periode waarin de coach kan gaan werken aan zijn team. Hij start daarbij met zijn staf. In het buitenland is het gebruikelijk dat een coach een heel gevolg meeneemt. In Nederland zie je vaker dat er een of twee vertrouwelingen meekomen met een nieuwe coach. De rest van de staf wordt gevormd door mensen die soms al jaren bij de club zitten. Een gezamenlijk beeld krijgen van de ambitie, speelwijze en de selectie is dan ook van belang om als één groep richting de selectie te kunnen praten. Ook hierin geldt dat een coach voor lastige keuzes kan komen te staan. Wat te doen met stafleden die niet geschikt lijken om in het team te werken aan de gestelde doelen? Hoe ver durft een coach te gaan als het staflid al meerdere jaren bij de club zit of zelfs een 'clubicoon' is?

Gertjan Verbeek heeft hier een duidelijke mening over. 'Op het moment dat je voelt dat het niet goed zit moet je direct handelen. Jij bent tenslotte degene die later wordt afgerekend op het resultaat!'

Met het contract op zak en met de staf op één lijn komt het eerste moment met de selectie. Van Gaal plande dit moment minutieus, zo beschrijven wij in het volgende hoofdstuk. Afhankelijk van de eigen stijl kiezen coaches eerst voor een gesprek of eerst voor een training. In deze periode is het in ieder geval van belang dat de spelers bekend raken met de visie van de coach op het spel, de normen/waarden die binnen het team moeten gelden en de criteria voor de selectie van spelers. Daarbij is het ook weer afhankelijk van de persoonlijke stijl van de coach welke vorm hiervoor gekozen wordt. Moeten de spelers een manifest tekenen of worden de regels vanzelf duidelijk door voorbeeldgedrag? Het is belangrijk om ook aandacht te besteden aan de ambitie en achtergrond van de individuele spelers. Pas als een coach weet wat een speler intrinsiek motiveert kan hij hem ook daadwerkelijk bereiken en beter maken.

Het in dit boek geschetste pad zal nooit 100 procent gevolgd kunnen worden. In de gesprekken met de coaches werden vier hoofdredenen genoemd waarom coaches afwijken van het ideale proces.

1. De beschikbare tijd. Een coach die halverwege het seizoen komt invliegen, heeft vaak maar een tot twee weken ter voorbereiding. De tijd tussen het eerste telefoontje en de eerste keer op het veld met de nieuwe selectie is soms zelfs maar enkele dagen. Zie bijvoorbeeld

Gertjan Verbeek bij zijn start bij FC Nürnberg. De aanstaande nieuwe coach van Feyenoord Fred Rutten lijkt met zijn voorbereidingstijd van een half jaar in een luxe positie te zitten. Voor hem geldt echter dat hij een deel van de activiteiten pas kan uitvoeren vlak voor het begin van het seizoen omdat dan pas de definitieve selectie bekend is.

2. Kennis van de club. In veel gevallen komt een coach van buiten de club. Maar soms schuift een assistent-coach door naar hoofdcoach. Hierdoor kan er op onderdelen een versnelling plaatsvinden omdat de assistent al precies weet wat hij heeft aan de huidige selectie.

3. De kortetermijndoelstellingen van de club. Komt een coach net als Huub Stevens invliegen voor een paar wedstrijden met maar één duidelijk doel (voorkomen van degradatie), dan zal de opbouw anders zijn dan bij een coach die het seizoen moet/mag afmaken maar waar de focus al op het volgende seizoen ligt.

4. Startsituatie club op gebied van staf, spelers, faciliteiten en voorgaande periode. Bij sommige clubs is simpelweg het algemene kwaliteitsniveau van de ondersteuning (zowel staf als faciliteiten) hoger dan bij andere clubs. Hierdoor heeft een coach zijn handen vrij om sneller te focussen op het continu verbeteren van zijn team.

5. De entree van Van Gaal

De eerste honderd dagen van een topcoach zijn bepalend voor het creëren van succes. En tegelijkertijd ook de meest uitdagende fase. Na het mislukte EK van 2012 wist Van Gaal dat bij de eerste kennismaking met zijn selectie de balans tussen afsluiten en opstarten perfect moest zijn. We filmen zijn entree terug vanaf zijn benoeming tot en met de eerste oefenwedstrijd tegen België. En zien waarom hij Huis ter Duin liet verbouwen.

In het blad *De Voetbaltrainer* gaf Van Gaal inzicht in de vier belangrijkste activiteiten die hij uitvoerde na zijn benoeming:

1. Samenstellen van zijn staf
2. Verbouwen Huis ter Duin
3. Samenstellen eerste selectie voor oefenwedstrijd tegen België
4. Eerste samenkomst met de selectie

Een topcoach zal activiteiten altijd van de binnenwereld naar de buitenwereld uitvoeren: coach, staf, spelers, faciliteiten, buitenwereld. Altijd in die volgorde.

Bij de aanstelling van Van Gaal door de KNVB maakte de bond bewust onderscheid tussen doelstellingen en opdrachten. De belangrijkste doelstelling was ambitieus: het halen van de laatste vier op het WK2014 in Brazilië.

Toon Gerbrands is kritisch over die doelstelling. 'Het behalen van de halve finales is een rare doelstelling in de sport. Dat doel moet altijd oneven zijn. Dus de eerste of de derde plaats bereiken op een eindtoernooi. Zodat je altijd de laatste wedstrijd moet presteren.'

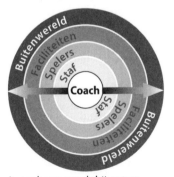

Aanpak van coach bij entree nieuwe club

Maar dat was niet het enige. Van Gaal kreeg ook drie opdrachten als coach mee en dat bepaalde in grote mate de invulling van de interventies van zijn eerste honderd dagen. De opdrachten die hij meekreeg waren:

1. Spelen van herkenbaar voetbal volgens de Hollandse School
2. Inpassen van de jeugd
3. Identificatie van het volk met het Nederlands elftal

In het hoofdstuk over de strategie van Oranje is de speelwijze die Van Gaal voor ogen heeft gedetailleerd uitgewerkt. Het inpassen van de jeugd en identificatie van het volk met het Nederlands elftal komen direct terug in de vier hoofdactiviteiten die hij na zijn aanstelling uitvoerde.

In zijn tijd als coach van Real Madrid kreeg Leo Beenhakker de volgende opdracht mee. 'Mijn opdracht was eenvoudig. Elk jaar een prijs winnen. Ik weet nog goed dat de president, Mendoza, tegen mij zei: "Leo, ik zal je nooit ontslaan. Als die 100.000 zich gaan roeren tegen je, dan houd ik het een of twee weken tegen. Maar de derde week, dan houd ik het niet meer tegen. En dan ga je eraan. Maar ik ontsla je nooit." Heerlijk!'

SAMENSTELLEN VAN DE STAF

Een echte topcoach begint na zijn aanstelling met het samenstellen van zijn staf. Bij de aanstelling van Louis van Gaal, begin juli 2012, was dat niet anders. Er was één complicerende factor. Door de late aanstelling was al een aantal voor de hand liggende stafleden vastgelegd bij andere clubs. Dit gold met name voor twee van zijn voormalige stafleden van Bayern München: Andries Jonker en Marcel Bout.

Bij het samenstellen van de staf ervaart elke topcoach een aantal dilemma's. Het belangrijkste dilemma is de (on)balans tussen het aanblijven van de oude stafleden en het aanstellen van de nieuwe stafleden.

Van Gaal hanteerde voor zijn assistenten een aantal specifieke criteria om in aanmerking te komen voor een aanstelling bij het Nederlands elftal:

1. Gezamenlijke visie op voetbal
2. Binnen die gezamenlijke visie geen ja-knikkers
3. Veel affiniteit met jonge, talentvolle spelers

Voor de nieuwe stafleden was het een pré als ze op topniveau hebben samengewerkt met Van Gaal; als eerdere assistent, staflid of speler. Maar dit was geen must. Zo werd Giovanni van Bronckhorst in een vroeg stadium benaderd om assistent te worden, maar hij bedankte voor de eer in verband met zijn werkzaamheden bij Feyenoord.

Van de staf die werkzaam was op het EK2012 stopten de assistenten Cocu en Faber en de linietrainers Ruud Hesp en René Eijkelkamp. De contracten van de scouts Arthur Numan en John Metgod, die als tijdelijke staf waren toegevoegd voor het WK2010 en het EK2012, werden ook niet verlengd. Voor een groot deel bleef de rest van de bestaande staf, ook op verzoek van de KNVB. Dit gold onder anderen voor teammanager Hans Jorritsma, persvoorlichter Kees Jansma en de afdeling Fysiotherapie.

Van Gaal had bij zijn voormalige staf bij Bayern München al aangekondigd dat hij ze bij een nieuwe aanstelling zou vragen. Van zijn oude staf waren Andries Jonker en Marcel Bout dus al werkzaam bij een andere werkgever. Het trio Frans Hoek, Jos van Dijk en Max Reckers was wel beschikbaar.

De medische staf hield Van Gaal grotendeels in stand, omdat de spelers vertrouwd met hen waren. Op sleutelposities greep Van Gaal wel in. Hij voegde Edwin Goedhart als sportarts toe aan de medische staf, mede vanwege zijn kennis en ervaring over communicatie en management. Rien Heijboer kwam als orthopeed bij de medische staf op grond van zijn uitgebreide ervaring met topsporters en zijn specialisatie in kniebandletsel. En ten slotte René Wormhoudt als Reha-trainer.

Een andere sleutelpositie voor de bondscoach was het hoofd scouting. Van Gaal had in zijn eerdere functie als bondscoach zijn visie op scouting geïmplementeerd. Maar na tien jaar was deze visie geen uitgangspunt meer in de scouting. Hoofd scouting onder Van Marwijk was de ervaren vakman Ronald Spelbos, die niet met profielschetsen per positie en per linie werkte. Van

Gaal loste het dilemma op door Edward Metgod toe te voegen aan de scoutingstaf. Zo behield hij de kennis en ervaring van Spelbos, maar vermengde deze met de visie van Edward Metgod. Niet toevallig dezelfde visie als die van Van Gaal.

De twee belangrijkste posities van de staf waren nog niet ingevuld. Maar dat duurde niet lang. Medio juli werd de eerste assistent vastgelegd: Danny Blind. Dat was geen verrassing, zeker vanuit het oogpunt van de opdrachten die de KNVB heeft meegegeven. Blind heeft als geen ander kennis van alle Nederlandse toptalenten, hij is een specialist in scouting. Als aanvoerder van Ajax heeft hij alles gewonnen wat er te winnen valt, in zijn carrière als trainer heeft hij veel ervaring in diverse functies opgedaan én hij heeft eerder samengewerkt met Van Gaal. En hij is vooral drager van de gezamenlijke visie op voetbal.

Zijn tweede assistent was minder voor de hand liggend dan Blind: Patrick Kluivert. Hij debuteerde en speelde onder Van Gaal bij Ajax, Barcelona en het Nederlands elftal. Kluivert werd op 1 augustus gepresenteerd als tweede assistent van Van Gaal. Een verrassing en voor de kenners ook weer niet.

Kluivert bracht mee wat Van Gaal ook van zijn spelers vraagt. Een gedeelde visie op voetbal, hoogwaardige kwaliteit en onvoorwaardelijke inzet voor het team. Als speler was Kluivert vooral een intuïtieve voetballer. Niet het prototype dat direct een succesvolle trainer wordt. Maar hij heeft in zijn loopbaan als trainer talent getoond en de wil om zich te ontwikkelen. En hij is een oud-speler die zijn 'blauwe plekken' kan delen met de spelersgroep.

Vooral bij de opdracht van de KNVB om de selectie te verjongen, speelt Kluivert een belangrijke rol. Hij is de man die de communicatie met de spelers over de visie op voetbal grotendeels voor zijn rekening neemt. Zij hebben hem nog zien spelen en nemen zijn feedback gemakkelijker op.

En zo zette Louis van Gaal de staf naar zijn hand om wereldkampioen te worden. Het beste team verdient de beste staf. Bij zijn entree liet hij vooral de basis van de medische staf intact. Op sleutelposities deed hij geen concessies. Daar wilde hij echte specialisten, met onvoorwaardelijke inzet, hoogwaardige kwaliteit en dezelfde visie op voetbal.

Een ingespeelde staf ook. Hij werkte met alle sleutelleden intensief samen, als speler of als staflid. En een ervaren staf. Natuurlijk ook het jonge elan van Kluivert. Maar vooral gekenmerkt door veel ervaring in de top van het voetbal.

Succes is toeval uitsluiten. Met het samenstellen van de staf is dat gelukt.

Leo Beenhakker over het belang van een goede staf: 'Je begint met het samenstellen van je staf, dat heb ik altijd heel belangrijk gevonden. Je zoekt in de eerste plaats kwaliteit, dezelfde voetbalfilosofie en loyaliteit in alle opzichten. Medisch, technisch, facilitair. En geen papegaai als tweede man. Maar iemand die zijn mening ventileert, al staat die ook haaks op de mijne. De staf is voor mij het team achter het team. Over het algemeen kom je bij een club bij een bestaande staf, daar moet je vanaf het begin kritisch en duidelijk over zijn.

Vooral als je naar het buitenland gaat en je in een andere cultuur terechtkomt is de staf van belang. Als je opgegroeid bent met de Hollandse School, heb je nu eenmaal een bepaalde filosofie over voetbal. Maar het hoeft nog niet te betekenen dat je dat over kunt brengen op de spelersgroep. Het gaat om kwaliteit in de beleving. In je staf heb je dan mensen nodig die hetzelfde over voetbal denken.

Als je met de spelers praat, ze traint, met ze bezig bent en hen voorbereidt in alle opzichten, dan heb je een assistent nodig die dezelfde voetbaltaal spreekt. Dat weet ik dus niet als ik met een Mexicaanse of een Poolse assistent begin. Om niet te veel tijd te verliezen neem ik in ieder geval een assistent mee die bij mij past. Maar geen papegaai. Ik maak als hoofdcoach de keuzes. Ik wil wel input hebben van anderen. Kritisch ook. Ik heb anderhalf jaar met Dick Advocaat op de bank gezeten in de jaren tachtig toen Rinus Michels ziek werd. Dick heeft een uitgesproken mening, heel emotioneel. Dat was goede input. Dick was ook loyaal, wat ik ermee deed was mijn zaak.

Zo heb ik ook met Van Gaal gewerkt bij Ajax. Dat was ook

altijd correct, maar wel hevige discussies binnenskamers, met de deur dicht. Het schilderij in de kamer donderde regelmatig naar beneden. Maar naar buiten toe hadden we één visie. Wij vormden een gesloten front, één team. Daar selecteer je voor een deel verstandelijk op, maar ook op gevoel. Ik heb heel redelijk verstand van mensen. Ik ben een mensenmens. Ik zie heel gauw wat iemand is, maar ik wil vooral ook weten wie iemand is. Dat heb ik met mijn spelers ook.

Een mooie anekdote hierover. In 2000 kwam ik terug als Technisch Directeur bij Ajax. De situatie tussen Co Adriaanse en de groep werd in het najaar van 2001 onwerkbaar. Dat is geen waardeoordeel, maar dat vond ik als verantwoordelijke.

Ik heb toen Ronald Koeman weggehaald bij Vitesse. Koeman had geen idee wie zijn assistent zou moeten worden. Hij was immers net begonnen als hoofdcoach. Ik moedigde Koeman aan om een kop koffie met Ruud Krol te gaan drinken. Ik had zo'n gevoel dat dat een goede match was. Op vrijdag werd Koeman aangesteld bij Ajax. Op zaterdagavond hebben ze samen een afspraak gemaakt in een hotel in Amsterdam. Ik ben er helemaal vanaf gebleven. "Ga nou maar samen een kop koffie drinken." Na anderhalf uur belde eerst Koeman vanuit de auto: "Leo, ik ben er helemaal uit. Het is geweldig! We zijn helemaal in een keer verliefd op elkaar geworden." Een kwartier later belt Krol op: "Leo, kop en kont, fantastisch."

Het hoort bij mij bij het voorwaarden creëren voor presteren, maximaal presteren. Dat kan middenmoot zijn, dat kan top zijn. Of niet degraderen. Maar het maximale eruit halen begint bij mij en eindigt bij de staf. Ik wil een goede assistent en een goede keeperstrainer, die niet alleen traint maar ook coacht. Waar Frans Hoek heel sterk in is. Hoek stond altijd achter de goal bij partijspelen en coachte elke situatie van de keeper. Ik heb met Hoek gewerkt vanaf 1989, bij Ajax. Eerst Stanley Menzo in de goal, daarna kwam Edwin van der Sar, 19 jaar. Van der Sar heeft zijn ontwikkeling volledig te danken aan Frans. In alle opzichten geweldig. Hij is als keeperstrainer/ coach een vakman pur sang.

Verder heb ik een goede teammanager, en een kleine medische staf met een goede clubarts die wat met sport heeft. En op afroep een aantal specialisten die gespecialiseerd zijn in bepaalde blessures. Linietrainers wil ik niet de hele week op het veld hebben. Dat kan je beter oplossen met je tweede assistent. Dat is een van de redenen dat ik bijvoorbeeld Wim Rijsbergen heb meegevraagd naar Mexico en Trinidad. Een vakman en loyaal. Hij is uitstekend in het organiseren en trainen van de verdediging.'

VERBOUWING VAN HUIS TER DUIN

Voordat Van Gaal zijn eerste voorselectie bekendmaakte, deed hij nog een interventie. De vierde cirkel van interventies van een topcoach. Hij liet het vaste spelershotel van Oranje verbouwen. Hij wist op dat moment dat hij aan de vooravond stond van een grote spelersreorganisatie. Om daarna het team weer op te bouwen had hij een passende en veilige omgeving nodig. En dus werd Huis ter Duin op zijn verzoek verbouwd.

Voorheen lagen de spelers verspreid over drie etages. Na de verbouwing slapen ze allen op dezelfde etage met de medische ruimte centraal. En er is ook een centrale hal waarin de spelers zich veilig en comfortabel voelen, en waar voldoende entertainment aanwezig is om iets met elkaar te kunnen ondernemen. Een ruimte waarin een startend team elkaar kan leren kennen en de eerste stappen zet naar het vormen van een echt team.

Grote brokken werk, afgewisseld met het verbeteren van details. De internetverbinding was te traag volgens Van Gaal. Voor spelers die in hun vrije tijd wilden gamen en voor het verspreiden van de videoanalyse was behoefte aan sneller internet. De upgrade vond plaats tijdens de verbouwing die voor de eerste kwalificatiewedstrijd tegen Turkije werd afgerond.

DE EERSTE SELECTIE VOOR DE OEFENWEDSTRIJD TEGEN BELGIË

Het eerste belangrijke toetsmoment was de oefenwedstrijd die op woensdag 15 augustus 2012 plaatsvond tegen België. Een van de opdrachten die de KNVB had meegegeven aan Van Gaal was het inpassen van de jeugd. De selectie maakte hij bekend op zijn eerste persconferentie, ruim een maand na zijn aanstelling als bondscoach.

In zijn eerste voorselectie viel vooral op dat, ondanks zijn opdracht om jeugd in te passen, bekende namen opgenomen zijn. Alleen Mark van Bommel en Wilfred Bouma (beiden gestopt) waren van de EK-selectie niet opgenomen in de voorselectie.

In de uiteindelijke selectie die Van Gaal presenteerde op 10 augustus 2012 sneed hij dieper. Ook de oudgedienden Boulahrouz, Vlaar, Van der Wiel, Schaars en Luuk de Jong vielen nu af. Daarvoor in de plaats kwamen veel jonge spelers: Van Rhijn, Viergever, De Vrij, Emanuelson, Maher, Dost en Martins Indi.

Alleen de rentree van Lens paste niet bij de verjonging. Lens had zijn plaats in de eerste selectie van Van Gaal vooral te danken aan de aanscherping van de strategie van het Nederlands elftal, met veel nadruk op snelheid en rendement van de beide buitenspelers.

In onderstaande tabel staan de selecties van de eerste wedstrijd opgenomen. De reorganisatie die Van Gaal doorvoerde na het EK2012 uitgedrukt in percentages: 30 procent van de selectie van het EK2012 werd niet meer opgeroepen voor de eerste wedstrijd. Dat was conform zijn opdracht, maar in de basisopstelling viel daar weinig van te merken. Maar liefst acht spelers startten ook in de basisopstelling in de laatste wedstrijd van het EK tegen Portugal. De echte inpassing van de jeugd moest nog plaatsvinden.

Jan Wouters over de doelstelling om te verjongen in de selectie: 'Verjongen als doelstelling vind ik maar vreemd. Als je met het beste elftal wil presteren, ga je dan verjongen om het verjongen? Natuurlijk niet. Je wil presteren met het beste team. Als een speler van 32 de beste is, dan moet hij gewoon spelen. Als je dan toch nog moet reorganiseren, doe het dan resoluut. Geef vertrouwen aan de groep die erachter zit en geef hun de kans. Wees vooral duidelijk naar alle spelers.'

	Voorselectie	Selectie	Basiself	Wissels	Min
1	Tim Krul	Tim Krul	Maarten Stekelenburg		
2	Maarten Stekelenburg	Maarten Stekelenburg	Ricardo van Rhijn		
3	Michel Vorm	Michel Vorm	Joris Mathijsen	Nick Viergever	46
4	Khalid Boulahrouz	John Heitinga	John Heitinga	Stefan de Vrij	46
5	John Heitinga	Joris Mathijsen	Jetro Willems	Bruno Martins	46
6	Joris Mathijsen	Jetro Willems	Nigel de Jong		
7	Ron Vlaar	Ricardo van Rhijn	Wesley Sneijder		
8	Gregory van der Wiel	Nick Viergever	Rafael Van der Vaart	Adam Maher	46
9	Jetro Willems	Stefan de Vrij	Luciano Narsingh	Jeremain Lens	68
10	Ricardo van Rhijn	Nigel de Jong	Klaas-Jan Huntelaar		
11	Nick Viergever	Wesley Sneijder	Arjen Robben		
12	Stefan de Vrij	Kevin Strootman			
13	Nigel de Jong	Rafael Van der Vaart			
14	Stijn Schaars	Urby Emanuelson			
15	Wesley Sneijder	Adam Maher			
16	Kevin Strootman	Ibrahim Afellay			
17	Rafael van der Vaart	Klaas-Jan Huntelaar			
18	Vurnon Anita	Dirk Kuijt			
19	Jordy Clasie	Luciano Narsingh			
20	Urby Emanuelson	Robin van Persie			
21	Siem de Jong	Arjen Robben			
22	Adam Maher	Bas Dost			
23	Ibrahim Afellay	Jeremain Lens			
24	Klaas-Jan Huntelaar	Bruno Martins Indi			
25	Luuk de Jong				
26	Dirk Kuijt				
27	Luciano Narsingh				
28	Robin van Persie				
29	Arjen Robben				
30	Bas Dost				
31	Ola John				
32	Jeremain Lens				

Selectie eerste oefenwedstrijd tegen België d.d. 15/08/2014

DE EERSTE SAMENKOMST

Een van de belangrijkste interventies van Van Gaal was de eerste samenkomst met zijn selectie. Minutieus door hem voorbereid. Met een passende balans tussen het afsluiten van het EK2012 en de start van het WK2014. De juiste toon, de juiste sfeer, de juiste omgeving, de juiste groep. Alles moest kloppen. Een terugblik op het vakmanschap van de bondscoach.

Maandag 13 augustus – wat bindt ons?

Van Gaal koos er bewust voor om te starten met een sessie voor de volledige selectie met de vraag wat hen bindt. De 'why' van het team en de 'why' van de spelers verbinden. Het verlangen om op het allerhoogste niveau met mooi voetbal het maximale resultaat te behalen.

En dus begon Van Gaal bewust met mooie beelden van de prestaties van het Nederlands elftal van de afgelopen jaren. Met aansluitend beelden waarin de visie van Van Gaal werd getoond. Beelden van Barcelona en beelden van Spanje. De moeilijkste stijl (die van Barcelona), maar dan met nuanceverschillen zodat het beter past bij de opdrachten van de KNVB en het Nederlands elftal. Met commentaar van Van Gaal zelf over de keuzes die hij de komende twee jaar zou gaan maken. De eerste lichtte hij alvast toe. Het Nederlands elftal zou gaan spelen in de teamorganisatie 1-4-3-3 met op het middenveld de punt naar achteren.

Hiermee koos Van Gaal bewust een andere opbouw dan de logische volgorde van eerst afsluiten van de vorige periode en daarna het gezamenlijke startpunt voor het WK2014 creëren. Bijkomend voordeel was het contactmoment van de spelers met de media voordat de afsluiting had plaatsgevonden. Van Gaal zei daarover: 'Het was voorspelbaar dat journalisten vooral wilden weten wat er die ochtend was gezegd. Ook zij hadden natuurlijk een uitpraatsessie verwacht, maar kregen nu te maken met spelers die alleen konden vertellen dat er op een goede manier over de voetbalvisie was gesproken.'

Diezelfde avond was wel de afsluiting van het EK2012 in

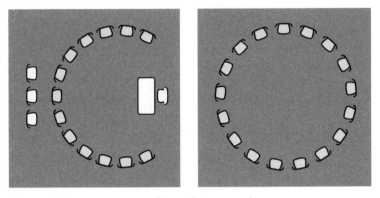

Schematische weergaven opstellingen kringgesprek

de vorm van een kringgesprek. Alleen de dertien spelers die gespeeld hadden op het EK waren aanwezig. Er was een ruimte in Huis ter Duin uitgezocht die zich leende voor een dergelijk intiem gesprek met haardvuur en aangepaste verlichting. De stoelen voor de spelers stonden in een halve kring met daarachter stoelen voor de leden van de staf. Voor de kring stond een stoel en een tafel voor Van Gaal.

Die setting analyseren levert veel op. Van Gaal zorgde voor een veilige omgeving voor de spelers. Hij liet de spelers ook zelf kiezen of de staf aanwezig mocht zijn. De stoelen waren zo neergezet dat ze elkaar konden aankijken. Maar er was meer.

In een kringgesprek waarin in een intieme setting met spelers een woelige periode wordt afgesloten kun je ook werken met een gesloten kring. Zij hebben wat af te sluiten en in een gesloten kring creëer je die intimiteit zonder tussenkomst van de staf. Van Gaal gaf een duidelijk signaal af door een tafel en een stoel te gebruiken aan de voorkant van een half open kring. Het afsluiten van het EK2012 werd uitgevoerd door de dertien spelers, maar ze rapporteerden aan Van Gaal. Hij was in die setting de absolute leider.

Het tweede dat opvalt, is dat de spelers wel mochten kiezen of de staf aanwezig was bij het kringgesprek. Maar in de setting die was opgesteld door Van Gaal stonden de stoelen voor de staf en Van Gaal al klaar. Hiermee verhoogde hij impliciet de drempel voor de spelers om de staf weg te sturen. De lege stoelen zouden dan als getuigen blijven staan bij het kringgesprek.

Alles wees erop dat Van Gaal dit tot in de kleinste details had voorbereid. Hij was degene die de regie voerde over het kringgesprek, dat een kleine twee uur duurde. Niet door veel het woord te nemen, maar juist door duidelijk te maken dat de afsluiting een onderdeel was van zijn masterplan om wereldkampioen te worden.

Wat er precies gezegd is, zullen we nooit achterhalen. Wel weten we dat Van Gaal zijn aanvoerder en reserveaanvoerder koos op basis van het gesprek. Vanaf dat moment was Wesley Sneijder aanvoerder van het Nederlands elftal en Dirk Kuijt reserveaanvoerder. De eerste sterkhouders waren benoemd.

Na het kringgesprek vond nog een belangrijke interventie van Van Gaal plaats. Hij presenteerde de regels in een soort manifest aan de spelersgroep. Dit manifest was besproken en aangescherpt door de staf. Het gold voor de spelers én de staf. Met de vraag om elkaar te corrigeren als een afspraak niet werd nagekomen. Maar er was ook ruimte. De spelersraad kon in samenspraak met Van Gaal de regels veranderen als de groep er anders over dacht.

Dinsdag 14 augustus – individuele gesprekken over de erfenis
De dag erna stond in het teken van de voorbereiding op de eerste oefenwedstrijd. Voordat de 11-tegen-11-training en de wedstrijdbespreking plaatsvonden, waren er individuele gesprekken die twee belangrijke interventies inleidden.

Het eerste gesprek was met Robin van Persie, een potentiële sterkhouder van Oranje. Van Gaal had nog niet met hem gewerkt. Van Persie was onderdeel van de erfenis van Van Marwijk door de openbare discussie in Nederland wie de beste spits is: Van Persie of Huntelaar? Een sleutelmoment, zou later blijken.

In een individueel gesprek met Van Persie gaf Van Gaal aan dat hij zou starten op de bank. Een belangrijke interventie. Want naast deze teleurstellende mededeling voor Van Persie gaf Van Gaal ook aan op basis waarvan hij de spits van Oranje selecteerde. Hierbij maakte hij onderscheid in het profiel van de spits tegen kleine landen en grote landen. Deze transparantie gaf duidelijkheid voor beide spitsen. De duidelijkheid was ook dat hij, in tegenstelling tot Van Marwijk, de optie om met beide spelers te spelen niet ging gebruiken.

Het passeren van Van Persie was direct een goede test voor zijn onvoorwaardelijke toewijding aan Oranje. Gepasseerd worden én de hele wedstrijd op de bank blijven was de ultieme test voor een topspeler of hij kon denken in het teambelang. Van Persie slaagde voor deze test. Hij stelde zich als een professional op en stond ook de pers te woord vanuit het teambelang.

Het tweede gesprek was ook onderdeel van een belangrijke interventie. Het gesprek vond plaats met Arjen Robben en ging over zijn nieuwe plaats in het team. Van Gaal vulde het eerste jaar de opdracht van de KNVB om herkenbaar voetbal te spelen volgens de Hollandse school in door de strategie te veranderen. En dat had gevolgen voor Robben. Van Gaal zou tijdens de kwalificatiewedstrijden starten met een linker- en rechteraanvaller die buitenom acties maken en voorzetten geven. Robben zou dus op links starten in plaats van aan zijn favoriete rechterkant.

Twee elementen van de erfenis waren omgezet in nieuw denken.

6. De sterkhouders – Robin van Persie: van aangeschoten wild naar trotse aanvoerder

Toen Robin van Persie na de eerste interland onder Louis van Gaal thuiskwam vroeg zijn vrouw: 'En, hoe is-ie nou in het echt?' 'Ik zei: "Van Gaal heeft superleuke trainingen, ik heb het super naar mijn zin gehad." Zei Bouchra: "Maar je gaat niet spelen hè, de komende tijd?" "Nee," zei ik. "Dát klopt. Maar ik zorg wel dat daar verandering in gaat komen."'

Van Gaal en Van Persie. Ze kenden elkaar niet persoonlijk in de zomer van 2012. Dat had wel zo kunnen zijn elf jaar eerder. Van Gaal zat in zijn eerste periode bij de KNVB en maakte als bondscoach van Oranje een zijstapje. Hij ging met een juniorenploeg naar het WK onder 20 jaar. Hij selecteerde een team met de 18-jarige Van der Vaart erin, de 17-jarige Robben en met onder anderen Stekelenburg, Heitinga en Huntelaar. Ver weg van huis in Argentinië, drie weken op elkaars lip. Hij leerde er de karakters van de internationals van vandaag reeds kennen. De destijds 18-jarige Van Persie was nog niet geselecteerd. Zijn eerste inhoudelijke gesprek met Van Gaal zou pas ruim een decennium later komen. En het had geen vrolijke insteek.

'Van Gaal zei direct open en eerlijk dat hij niet tevreden was over wat hij als buitenstaander had gezien op het EK. En bij dat EK in Polen en Oekraïne was ik de eerste spits,' vertelde Van Persie vorig jaar.* 'De strekking van zijn verhaal was: ik geef nu een ander de kans en van jou wil ik dit en dit en dit zien in wedstrijden.' Van Persie wist nog dat hij had gezegd: 'Oké, ik zie deze boodschap meer als een uitdaging dan als een teleurstelling. Ik ga bewijzen dat ik wel goed genoeg ben om jouw spits nummer 1 te zijn.' Volgens hem was de bondscoach 'aangenaam verrast' met dat antwoord. 'Je kunt op basis van zo'n ge-

*Alle citaten van Van Persie in dit hoofdstuk zijn afkomstig uit het *Algemeen Dagblad*.

sprek op een aantal manieren reageren. Volgens mij vond Van Gaal mijn reactie wel goed.'

De avond ervoor was al het groepsgesprek over het mislukte EK geweest. In hotel Huis ter Duin. Van Gaal was ook niet tevreden over hoe Van Persie zich daarbij opstelde. Hij vond het maar lafjes dat de spits in een setting met 13 voetballers bij elkaar niks zei. 'Maar dat was toen een bewuste keuze,' aldus Van Persie. 'Soms maak je een keuze om niks te zeggen, terwijl je wel wat te zeggen hebt. Door niks te zeggen, zeg je dan meer. De trainer is het daar tot op de dag van vandaag niet mee eens, maar ik leg hem uit waarom ik dat heb gedaan. Dat begrijpt hij, maar desondanks vond en vindt hij tóch dat ik had moeten spreken. Ik laat daar verder niks meer over los. Dan beschadig ik alsnog mensen en daar heb ik geen zin in.'

In die eerste drie dagen onder de nieuwe bondscoach begon Huntelaar, de concurrent van Van Persie bij dat EK, in de basis tegen België. Huntelaar had zich er veel van voorgesteld, maar hij droeg die avond in Brussel zo weinig bij aan het spel van Oranje buiten de zestien meter, dat Van Gaal in zijn hart al wel wist dat Huntelaar niet compleet genoeg zou zijn om aan zijn profiel van een nummer 9 te voldoen. In dat profiel zoekt Van Gaal, net als bijvoorbeeld Frank de Boer bij Ajax, een '9' die ook mee kan doen op het middenveld. Een aanvalsleider die veel meer is dan een doelpuntenmaker alleen.

Amper twee weken na die eerste oefeninterland kwam Oranje weer bijeen. Nu voor de start van het echte werk, de WK-kwalificatie. Een zware start met Turkije-thuis en Hongarije-uit. Er volgde een tweede gesprek tussen Van Gaal en Van Persie en daarin groeide al iets van een band. Van Persie zou daar later over zeggen: 'We hebben het toegelaten om elkaar te leren kennen, Van Gaal en ik. De klik is duidelijk aanwezig. Ik kan hem in de omgang heel goed hebben. Omdat wij allebei winnaars zijn, daarin allebei heel ver gaan.' Na de wedstrijd tegen België voorspelde hij zijn vrouw dat hij aan spelen zou gaan toekomen. 'De interland erna was het al omgedraaid.'

In die wedstrijd tegen Turkije maakte Van Persie een vroeg

doelpunt dat bijdroeg aan de 2-0 zege. Het bleek zijn eerste van voorlopig twaalf doelpunten onder Van Gaal, gemaakt in amper veertien interlands. Om de ontwikkeling op nog een andere manier te duiden: Van Persie stond op 29 goals na het mislukte EK en heeft er voor Brazilië 41 achter zijn naam, goed voor de status van nieuwe eeuwige topscorer van Oranje.

Onderweg waren er sleutelwedstrijden waarin hij zijn krediet bij Van Gaal verder opbouwde. En tegelijkertijd zijn positie in de totale pikorde bij Oranje. Roemenië-uit schiet ons als eerste te binnen. Een moeilijke uitwedstrijd in de herfst van 2012. Een tegenstander die de strijd om de WK-tickets ook goed was begonnen en dacht Oranje pijn te kunnen doen. Van Persie was in het kolkende nationale stadion van Boekarest een avond lang ongrijpbaar. Hij was altijd in beweging en aanspeelbaar. En kon hij in een situatie niet kaatsen of passen, dan zorgde hij er steeds slim voor dat hij een overtreding mee kreeg. Het balbezit voor Oranje werd zo toch gecontinueerd.

Van Persie had in die wedstrijd – en eigenlijk in de hele kwalificatie voor het WK – veel steun aan de buitenspelers. Jeremain Lens en de later met een zware knieblessure weggevallen Luciano Narsingh. En ook aan Robben. Van Gaal heeft in principe op de flank graag aanvallers staan die diepgang brengen in het spel en die de achterlijn halen en een voorzet kunnen geven met hun beste been. Daarom begon Robben in de eerste interlands onder zijn leiding weer 'ouderwets' op links (en niet op rechts). Een mooie goal van Van Persie onder Van Gaal is ook gemaakt op aangeven van linksbuiten Robben. Thuis tegen Roemenië op 26 maart 2013, een teruggetrokken voorzet die net iets achter Van Persie kwam, maar die strekte zijn nek en kopte de bal technisch knap over de doelman in de lange hoek. Intussen is Robben alsnog terugverhuisd naar de rechterflank in Oranje, op eigen verzoek, omdat rechts ook zijn vaste stek is bij zijn club Bayern München.

In de periode van zes maanden tussen Roemenië-uit en Roemenië-thuis was Huntelaar verder achterop geraakt. Blessures, matige vorm, weinig goals bij Schalke 04, terwijl Van Per-

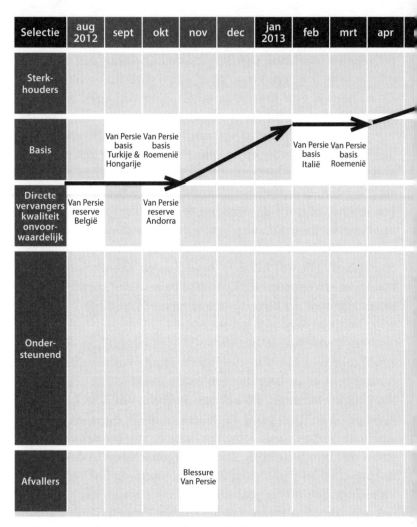

Selectie	aug 2012	sept	okt	nov	dec	jan 2013	feb	mrt	apr
Sterk-houders									
Basis		Van Persie basis Turkije & Hongarije	Van Persie basis Roemenië				Van Persie basis Italië	Van Persie basis Roemenië	
Directe vervangers kwaliteit onvoor-waardelijk	Van Persie reserve België		Van Persie reserve Andorra						
Onder-steunend									
Afvallers				Blessure Van Persie					

Interventies door Van Gaal in relatie tot Van Persie

n	jul	aug	sep	okt	nov	dec	2014	Selectie	Nummers
rsie md an- ...er ns zië		Van Persie aanvoerder	Van Persie aanvoerder	Van Persie aanvoerder			Van Persie aanvoerder Frankrijk	Sterkhouders	8 9 11
		Portugal	Estland & Andorra	Hongarije					
								Basis	1 4 7 / 2 5 10 / 3 6
								Directe vervangers kwaliteit onvoorwaardelijk	12 15 / 13 16 / 14 21
								Ondersteunend	17 18 19 20 22 23
					Blessure Van Persie			Afvallers	

sie ondertussen zijn draai vond bij zijn nieuwe club Manchester United. In zijn eerste seizoen maakte hij meteen beslissende doelpunten en werd hij voor het eerst in zijn loopbaan landskampioen. Hij was aangever voor treffers en bleek goed te klikken met de diepste middenvelder in zijn rug, Wayne Rooney.

Voor Van Gaal hield het in dat hij zijn focus met een gerust hart kon verleggen. Hij had de spits voor zijn speelwijze gevonden en kon op zoek naar de ideale partner(s) voor Van Persie op het middenveld. In die zoektocht was Nederland-Italië in het stadion van Ajax in februari 2013 memorabel. Adam Maher achter Van Persie. Alsof ze met onzichtbare stangen aan elkaar waren vastgeklonken. Maar de ontwikkeling van Maher is gestokt, zoals het ook met Van der Vaart en Sneijder en Siem de Jong – mede door blessures – op en af is gegaan. Nu, in mei 2014, is dé ideale combinatie eigenlijk nog steeds onderwerp van discussie.

Gaandeweg kantelde ook een ander beeld dat Van Gaal had van Van Persie: dat van de spits en zijn invloed buíten het veld. In januari 2013 was Van Gaal nog stellig toen het *AD* hem vroeg naar de mogelijkheid van Van Persie als aanvoerder van Oranje. De volgende dialoog ontspon zich op de werkkamer van de bondscoach in Zeist:

Van Persie lijkt alleen maar fitter en beter te worden naarmate hij ouder wordt. Dat zie je niet vaak. Hoe komt dat bij hem?
Antwoord Van Gaal: 'Van Persie is een jongen die heel goed weet wat hij wil. Daar houd ik van. Hij weet heel goed voor zichzelf wat hij kan en wat hij niet kan. Wat hij wil en wat hij niet wil doen. Zo'n jongen was ik als speler vroeger ook.'

Hij heeft een goed zelfbeeld vindt u?
'Ja. En dat heeft lang niet iedere speler. Maar hij wel. En dat is waarom-ie waarschijnlijk steeds beter wordt. Maar in een groep zou hij veel meer invloed kunnen hebben, denk ik. Dat heeft hij nu niet. Zo zit hij in elkaar. Dat is een karaktereigenschap.'

Probeert u hem daarin te stimuleren?
'Nou, ik zei al: deze speler weet van zichzelf wat hij wil en niet wil. Volgens mij heeft hij die houding voor zichzelf zo gekozen. Bewust. Wat op zichzelf ook weer knap is.'

Maar die keuze maakte Van Persie voor u niet meteen een aanvoerderstype?
'Nee, want een aanvoerder moet die invloed op het totale team wel hebben.'

Misschien dat hij eerst de band nodig heeft om dat bij Oranje te ontwikkelen.
'Dan draai je het om, door de argumenten weg te nemen op basis waarvan je een aanvoerder juist benoemt. Nee, dat zou gek zijn.'

Maar die aanvoerdersband is inmiddels toch bij Van Persie terechtgekomen. Van Gaal vond dat hij simpelweg niet anders meer kon bij het zien van de aftakeling van zijn eigenlijke captain, Sneijder. 'Een aanvoerder geniet bij mij het privilege dat hij altijd wordt opgeroepen,' verklaarde de bondscoach zijn ingreep. 'Maar als Sneijder maandenlang helemaal niet speelt of aantoonbaar niet fit is, kan ik dat privilege op een gegeven moment niet meer handhaven. Het moet wel geloofwaardig blijven naar de rest van het team. Van Persie is daarom de nieuwe aanvoerder en Arjen Robben zijn stand-in.'

De wissel kwam er in mei 2013, vlak voor de trip van Oranje naar Indonesië en China. Van Persie: 'We waren in Huis ter Duin toen de trainer me vroeg. Ik werd op zijn kamer geroepen. Ik zei meteen ja.' Van Gaal had hem nog gevraagd: 'Moet je er niet even over nadenken?' Dat hoefde hij niet. 'Het kwam wel als een verrassing, ik had niet verwacht dat dit op korte termijn zou kunnen gebeuren. Maar nadenken? Nee. Ik ben zeer vereerd.'

Als aanvoerder spreekt Van Persie zich soms uit in kwesties. Zo nam hij het bijvoorbeeld fel op voor Stefan de Vrij, de jonge international van Feyenoord om wie een storm losbarstte toen uitlekte dat hij in zijn eigen tijd extra krachttrainingen volgde buiten de club om. 'Ik heb veel contact met Stefan,' zei Van Persie in de aanloop naar een interland. 'Ik vind het heel goed dat zo'n jonge jongen zijn tekortkomingen ziet en zich wil verbeteren. Hij wil beter worden en doet daar iets extra's voor. Dat moet je toejuichen.'

'Ik zal je iets bekennen,' vervolgde Van Persie. 'Ik voetbalde nog op straat in Rotterdam toen ik al in het eerste elftal van Feyenoord speelde. Daar heb ik ook nooit iets over gezegd. Ik ben er ook nooit geblesseerd van geraakt. Ik ben er ook geen slechtere voetballer van geworden.'

Bij een aanvoerder denkt Van Persie naar eigen zeggen het eerst aan Cruijff. 'Komt omdat ik mooie gesprekken met Wim Jansen heb gevoerd over de jaren zeventig, de periode waarin Cruijff Oranje leidde. Maar ik denk ook aan David Beckham. Die had eens een quote in een documentaire over zijn eigen carrière. Vroegen ze: wat vond jij nou het mooiste moment? Die man heeft alles gewonnen, overal gespeeld in de wereld, maar Beckham zei: mijn mooiste moment was aanvoerder zijn van mijn land. Best wel een statement vind ik dat. Mooi! Voor mij komt het ook dichtbij. In de lijn van Cruijff, Krol, Koeman, noem ze me maar.'

Bij zijn eerste WK in 2006 kwam Van Persie pas heel laat in de voorbereiding op het toernooi in de basis. Hij verdrong toen Dirk Kuijt en kon als 22-jarig talent onbevangen spelen. In 2010 was hij basisklant bij zijn tweede WK. Oranje haalde als team de finale, maar Van Persie kende individueel geen toptoernooi. Nu, bij zijn derde WK, is hij basisspeler, onbetwiste aanvalsleider én aanvoerder van het team. Nu moet alles gaan zoals hij het in zijn dromen voor zich ziet. Al blijft de vraag in hoeverre hij in Brazilië topfit kan zijn na zijn door blessures en clubsores ontregelde seizoen.

Van Persie: 'Mijn ultieme droom is om het heel goed te doen bij het WK. Ik heb nog een belofte in te lossen op dat podium. Dat ik nu aanvoerder ben, maakt het nog éxtra uitdagend. Ik ben toch al voortdurend op zoek naar doelen die ik mezelf kan stellen. Ik heb altijd gezegd dat ik honderd interlands en liefst nog meer wil halen. En bij Manchester United hebben we in mijn eerste seizoen een van vier mogelijke hoofdprijzen gepakt, dus ook drie niet. Zo denken houdt me hongerig. Ik kan me niet voorstellen dat ik in mijn carrière nog verzadigd raak.'

7. De sterkhouders – Wesley Sneijder: van aanvoerder naar...?

Wesley Sneijder maakt weinig kans op Brazilië. De creatieve middenvelder die bij Van Gaal in de eerste oefenwedstrijd startte als aanvoerder moet vrezen voor zijn plek in de selectie van het eindtoernooi. Hoe is het mogelijk dat een gewaardeerd prijzenpakker in de ogen van Van Gaal waarschijnlijk niet goed genoeg is om mee te gaan? We kijken de belangrijkste interventies van Van Gaal terug en zien zo dat het voor de hand liggend is.

Voordat we laten zien waarom Sneijder waarschijnlijk niet meegaat naar Brazilië, filmen we eerst vooruit naar het selectiemoment waarop Van Gaal zijn definitieve selectie bekendmaakt. De opbouw van de selectie die hij meeneemt naar het eindtoernooi is:

1. **Sterkhouders:** spelers die al geruime tijd zeker zijn van het WK door hun kwaliteiten. De aanvoerders vallen per definitie in deze groep

2. **Basisspelers:** spelers die op basis van hun prestaties bij Oranje en bij hun eigen club als eerste in aanmerking komen voor een basisplaats

3. **Uitdagers:** spelers die op basis van hun prestaties bij Oranje en bij hun eigen club dicht tegen de basis aan zitten. Kwaliteit en onvoorwaardelijk bijdragen zijn belangrijke eigenschappen voor deze groep

4. **Ondersteuners:** spelers (oud en jong) die bijdragen aan de kwaliteit en de sfeer van de groep. Voor deze spelers moet het geen probleem zijn dat ze het hele WK niet spelen en vooral de bovenstaande groep ondersteunen

Onvoorwaardelijk. Het zonder voorwaarden uitvoeren van de strategie die Van Gaal voor ogen heeft tijdens het WK is een belangrijk selectiecriterium om in aanmerking te komen voor Oranje. Dat geldt voor de gehele selectie die gaat deelnemen aan het toernooi, maar vooral voor de groep van uitdagers. De spelers

Sterkhouders

Basisspelers

Uitdagers

Ondersteuners

 Sterkhouders: spelers die al geruime tijd zeker zijn van het WK door hun kwaliteiten. De aanvoerder en de reserveaanvoerders vallen per definitie in deze groep.

 Basisspelers: spelers die op basis van hun prestaties bij Oranje en bij hun eigen club als eerste in aanmerking komen voor een basisplaats

Uitdagers: spelers die op basis van hun prestaties bij Oranje en bij hun eigen club dicht tegen de basis aan zitten. Kwaliteit en onvoorwaardelijk bijdragen zijn belangrijke eigenschappen voor deze groep

 Ondersteuners: spelers (oud en jong) die bijdragen aan de kwaliteit en de sfeer van de groep. Voor deze spelers moet het geen probleem zijn dat ze het hele WK niet spelen en vooral de bovenstaande groep ondersteunen

Selectiethermometer

die in deze groep zitten zullen zelf vinden dat zij goed genoeg zijn voor de basisopstelling, maar zullen niet in de basis starten.

Onvoorwaardelijk betekent in dit geval voor Van Gaal dat hij van deze groep eist dat ze persoonlijke belangen zonder voorwaarden aan de kant zullen zetten voor het teambelang. Als spelers dit namelijk niet kunnen, bestaat er een grote kans op gedoe en incidenten in Brazilië. Hij zal dus bij het selectiemoment spelers hierop beoordelen.

AUGUSTUS 2012 – MEI 2013: DE AANVOERDER SNEIJDER

Op maandag 13 augustus 2012 vond 's avonds het kringgesprek plaats waarin Van Gaal de wanprestatie op het EK2012 met de betrokkenen wilde afsluiten. Zorgvuldig bereidde hij na zijn entree de belangrijke dagen voor die voorafgingen aan zijn eerste oefenwedstrijd tegen België. In het kringgesprek nodigde Van Gaal de spelers uit om terug te kijken en te reflecteren waarom het EK zo slecht was verlopen. In samenspraak met zijn staf besloot hij alleen de spelers uit te nodigen die ook op het EK zelf waren en zo namen 13 van de 23 aanwezige spelers deel aan het gesprek.

Van Gaal had zich voor het kringgesprek voorgehouden dat hij op basis van het verloop van het gesprek zijn aanvoerder en reserveaanvoerder zou kiezen. Onbevangen, onbevooroordeeld, maar wel wetend wat hij van zijn aanvoerder verwachtte. In het gesprek namen van de topspelers van Oranje vooral Sneijder en Kuijt het woord. Van Persie deed dat niet; hij gaf in een later interview aan dat hij het niet het moment vond om te spreken. Direct na het gesprek besloot Van Gaal in samenspraak met zijn staf om Sneijder en Kuijt te vragen voor het aanvoerderschap. In een individueel gesprek diezelfde avond vroeg hij Sneijder om aanvoerder te worden en legde hij uit wat de betekenis is van een aanvoerdersband binnen en buiten het veld.

Vanaf dat moment was Sneijder aanvoerder van Oranje. Op 15 augustus 2012 droeg hij de aanvoerdersband voor het eerst in de oefenwedstrijd tegen België. Ook tijdens de eerste twee kwalificatiewedstrijden tegen Turkije en Hongarije was hij aanvoerder, maar daarna ging het mis. Sneijder raakte medio september geblesseerd en viel in onmin bij zijn club Inter Milan. In januari 2013 verhuisde hij naar Galatasaray alwaar hij als de verlosser werd binnengehaald. Zijn prestaties waren daar na zijn entree echter niet zo dat hij de hoge verwachtingen kon waarmaken. Het leidde tot veel kritiek op de prestaties van Sneijder.

In Oranje speelde Sneijder pas weer op 22 maart 2013 tegen Estland als aanvoerder mee. Het was de eerste teleurstellende wedstrijd onder Van Gaal en hij intervenieerde direct. Vanaf de volgende wedstrijd paste Van Gaal de speelwijze op het middenveld aan met maar één verdedigende middenvelder. Tot dan toe had hij gespeeld met twee verdedigende middenvelders om Sneijder als centrale aanvallende middenvelder te benutten. Bovendien gaf hij aan dat óf Sneijder óf Van der Vaart speelt en niet beiden. Dit paste hij in de wedstrijd erna direct tegen Roemenië toe. Van der Vaart speelde als aanvallende middenvelder, mede door een blessure van Sneijder.

In mei 2013 werd Sneijder opgeroepen voor de trip naar Azië om tegen China en Indonesië te oefenen. Hij was nog in de veronderstelling dat hij die wedstrijden als aanvoerder zou gaan spelen en verheugde zich op de trip. Maar dat zou niet zo zijn.

JUNI – AUGUSTUS 2013: VAN GAAL ONTNEEMT SNEIJDER DE AANVOERDERSBAND EN HEEFT ZORGEN

Bij de persconferentie op 1 juni 2013 sprak Van Gaal voor het eerst zijn zorgen uit over de fitheid van Sneijder. Het uitvoeren van de strategie van Van Gaal vraagt om fitte en dynamische middenvelders die zowel aanvallend als verdedigend goede prestaties kunnen leveren. Ook bij het profiel van de creatieve aanvallende middenvelder zoals Sneijder vereist dat veel verdedigende acties. Het druk zetten op de tegenstander om balveroveringen te doen, vraagt om de wil en de fitheid van een middenvelder. Van Gaal sprak uit dat hij twijfelde of Sneijder dat kon opbrengen.

Maar dat was niet de enige interventie. De grote klap voor Sneijder volgde in een gesprek twee dagen later. Toen ontnam Van Gaal Sneijder de aanvoerdersband, een van de meest heftige interventies die een bondscoach kan doen. Het kwam hard aan bij Sneijder, die te horen kreeg dat het ontbreken in veel interlands door blessures en transferperikelen én zijn fitheid de voornaamste oorzaken zijn. Sneijder stelde zich strijdlustig op en kondigde aan nog één keer alles te doen om op zijn oude topniveau te komen. In de wedstrijd tegen China passeerde Van Gaal Sneijder voor de basisopstelling.

Op persoonlijk initiatief trainde Sneijder met individuele begeleiding de hele zomer om zijn fitheid te verbeteren. Op 1 augustus kreeg hij echter de volgende teleurstelling te verwerken. Hij werd niet opgeroepen voor de oefenwedstrijd tegen Portugal. Van Gaal gaf als reden aan dat hij nog niet had kunnen beoordelen of Sneijder fit genoeg was voor deze interland. De reactie van Sneijder was onverstandig. Hij gaf aan teleurgesteld te zijn in Van Gaal omdat hij geen persoonlijk bericht had gekregen over het niet selecteren voor deze wedstrijd. Van Gaal was furieus en sprak Sneijder publiekelijk aan op het schenden van het manifest dat hij nota bene als aanvoerder had ondertekend. Bij Oranje spreek je over Oranje, bij de club spreek je over de club.

De positie van Sneijder verslechterde in twee maanden van sterkhouder naar een onzekere status tussen basisspeler, uitdager en potentiële afvaller.

SEPTEMBER 2013 – HEDEN: BASIS OF AFVALLER?

In de meest recente periode van kwalificatiewedstrijden en oefenwedstrijden hanteerde Van Gaal een consistente lijn. Als Van der Vaart fit was, werd Sneijder niet opgeroepen voor wedstrijden van Oranje. Als Van der Vaart geblesseerd was, werd Sneijder (alsnog) opgeroepen en startte hij in de basis. Dit gebeurde in de wedstrijden van Oranje tegen Estland, Andorra en Turkije. Van Gaal prikkelde Sneijder nog extra door expliciet aan te geven te gaan juichen bij de eerste balverovering van Sneijder tegen Estland.

GAAT SNEIJDER MEE NAAR HET WK?

De kans is klein. De interventies van Van Gaal zijn hard maar consequent. Hij heeft Sneijder bij zijn entree de kans gegeven om zich als sterkhouder te manifesteren. Maar blessures, een transfer en toenemende zorgen over de fitheid van Sneijder hebben Van Gaal al vrij snel doen inzien dat Sneijder niet het profiel kan invullen van de aanvallende middenvelder.

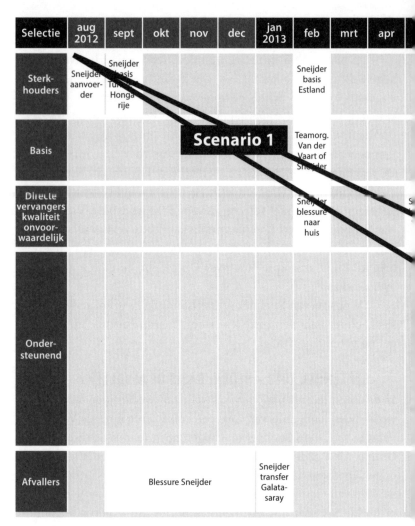

Selectie	aug 2012	sept	okt	nov	dec	jan 2013	feb	mrt	apr
Sterk-houders	Sneijder aanvoer-der	Sneijder basis Turkije Hongarije					Sneijder basis Estland		
Basis				**Scenario 1**			Teamorg. Van der Vaart of Sneijder		
Directe vervangers kwaliteit onvoor-waardelijk							Sneijder blessure naar huis		S
Onder-steunend									
Afvallers			Blessure Sneijder			Sneijder transfer Galata-saray			

Interventies door Van Gaal in relatie tot Sneijder

70

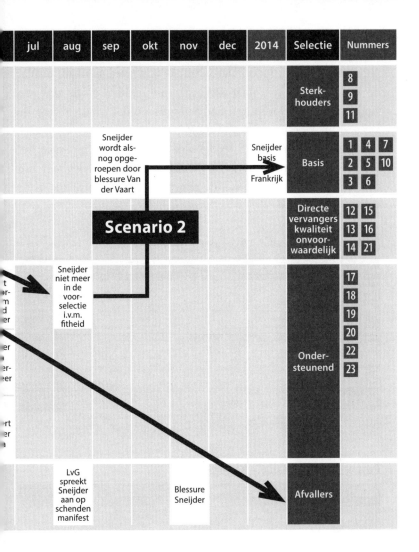

jul	aug	sep	okt	nov	dec	2014	Selectie	Nummers
							Sterk-houders	8 9 11
	Sneijder wordt alsnog opgeroepen door blessure Van der Vaart				Sneijder basis Frankrijk		Basis	1 4 7 2 5 10 3 6
		Scenario 2					Directe vervangers kwaliteit onvoorwaardelijk	12 15 13 16 14 21
	Sneijder niet meer in de voorselectie i.v.m. fitheid						Ondersteunend	17 18 19 20 22 23
	LvG spreekt Sneijder aan op schenden manifest		Blessure Sneijder				Afvallers	

In juni 2012 heeft hij op een relatief veilig moment de be-
nodigde interventies gedaan en Sneijder ontslagen van zijn
rechten als sterkhouder. Dat moment was goed gekozen omdat
de spelers na de trip naar Azië vakantie hadden en de rest van
Nederland ook. Bovendien had Sneijder op dat moment nog de
kans om te werken aan zijn fitheid.

Maar waarom gaat Sneijder dan waarschijnlijk niet naar het
WK? Eigenlijk is het heel eenvoudig. Sneijder voldoet niet aan
de eisen van het profiel van de aanvallende middenvelder in de
visie van Van Gaal.

Provocerende pressie – Sneijder

Minuut	Balverovering	Terug-speelbal	Breedtebal	Dieptebal	Totaal
0-15				2	2
16-30					
31-45				1	1
46-60					
61-75		1		1	2
76-90					

Provocerende pressie – Klaassen

Minuut	Balverovering	Terug-speelbal	Breedtebal	Dieptebal	Totaal
0-15					
16-30					
31-45					
46-60					
61-75		2			2
76-90	1	3			4

Analyse Sneijder – Klaassen

(wedstrijd Frankrijk-Nederland d.d. 05/03/2014)

Hiernaast staat het rendement van Sneijder in de wedstrijd tegen Frankrijk. En Van Gaal twijfelt aan de onvoorwaardelijkheid van Sneijder. Onvoorwaardelijk topsporter zijn en onvoorwaardelijk teamsporter zijn.

Maar hij heeft een kans om mee te gaan naar Brazilië. Die kans wordt groter als een van zijn directe concurrenten geblesseerd of geheel uit vorm raakt, bijvoorbeeld Van der Vaart. En de kans wordt groter als Van Gaal de strategie zodanig aanpast dat Sneijder verdedigend weg komt met een lager rendement.

Jan Wouters over de sterkhouders van Van Gaal. 'Niet mee willen is afscheid nemen. Niet mee kunnen, is niet selecteren. Sneijder komt dan op de bank en dan krijg je een natuurlijke verschuiving in de hiërarchie. Het is dan aan de speler of hij dat aankan. Als je je kan schikken in die rol is het goed. Anders is het afscheid nemen.

Uiteindelijk bepalen voetballende kwaliteiten de selectie. Maar je gaat wel lange tijd met elkaar op pad. Kan Sneijder het opbrengen een reserverol te vervullen? Van Gaal kent Sneijder al heel lang. Als geen ander kan hij inschatten of Sneijder dat op kan brengen. Rinus Michels kwam met types als Koevermans, Suvrijn, Krüzen, Troost om de selectie te completeren. Bij Koevermans was dat met het idee voor een kopsterke speler. Maar die andere jongens werden geselecteerd omdat zij prima een toernooi mee konden zonder een speelminuut te maken.'

Jan Wouters over de rol van de sterkhouders bij het Oranje van Rinus Michels. 'Wij zaten vaak met z'n vijven met Michels. Praten over de tegenstander, over hoe wij gingen spelen. Michels vroeg niet veel. Hij gaf ons wel veel verantwoordelijkheid. Maar dan was hij wel degene die aangaf: zo gaan we het doen. De vraag "Hoe zien jullie het?" stelde hij zelden.

Die verantwoordelijkheid kregen we ook als het onderling schuurde. Dat had te maken met de groep PSV en de groep Ajax. In die periode zaten we met negen man van Ajax in de selectie en slechts drie van PSV. Gingen we toch met twee spitsen spelen, terwijl we bij Ajax met drie spitsen speelden. De PSV'ers waren gewend om een individuele warming-up te doen. En wij deden dat als groep. Zeven of acht spelers deden dan onze warming-up en de anderen een individuele warming-up. Dat werd dan besproken en opgelost met de sterkhouders. Eerst een korte gezamenlijke warming-up, het vervolg was individueel.'

8. De sterkhouders – Kevin Strootman: van groentje naar sterkhouder

De carrière van Strootman is de laatste jaren snel gegaan. Net na zijn overstap van Sparta naar FC Utrecht debuteerde Strootman op 9 februari 2011 in het Nederlands elftal. Een half jaar later zat hij bij PSV. Toch liet een echte doorbraak in Oranje nog op zich wachten. Zo was het EK2012 voor Strootman een extraatje. Hij was al blij dat hij mee mocht, zo zei hij tegen RTV Rijnmond. Inmiddels is hij onder Van Gaal uitgegroeid tot een van de vaste waardes van het Nederlands elftal. Door een knieblessure in maart 2014 kan deze sterkhouder evenwel niet mee naar het WK in Brazilië. Hoe gaat Van Gaal om met deze tegenvaller?

Bondscoach Bert van Marwijk gaf tijdens het EK de voorkeur aan ervaren spelers als Mark van Bommel en Nigel de Jong. Zijn opvolger Louis van Gaal daarentegen koos voor verjonging. Voor Strootman begon deze verjonging echter met een valse start. Door een blessure opgelopen tijdens de competitiewedstrijd tegen RKC moest Strootman de eerste oefenwedstrijd onder Van Gaal tegen België missen. Strootman meldde zich nog wel in Noordwijk bij de samenkomst van de selectie, maar alleen om kennis te kunnen maken met de nieuwe coach.

In de eerste wedstrijd waar het om ging onder Van Gaal stond Strootman echter al in de basis. Met de basisplaats liet Strootman mannen als Nigel de Jong (niet geselecteerd wegens transferperikelen), Leroy Fer en Stijn Schaars achter zich. Voor de speler kwam dit als een verrassing, want voor hem was een basisplaats alles behalve vanzelfsprekend.

'Een paar mannen die normaal gesproken spelen zijn er niet bij, al weet je dat er bij Oranje altijd goede spelers overblijven. Ik ga niet uit van een basisplaats. Zo kom ik nooit binnen hier. Ik heb vooral heel veel zin om met Oranje te trainen en ben blij dat ik er weer bij ben.' (bron: nusport)

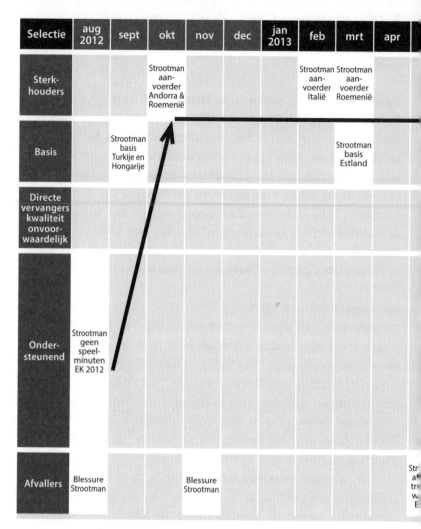

Selectie	aug 2012	sept	okt	nov	dec	jan 2013	feb	mrt	apr
Sterk-houders			Strootman aan-voerder Andorra & Roemenië				Strootman aan-voerder Italië	Strootman aan-voerder Roemenië	
Basis		Strootman basis Turkije en Hongarije						Strootman basis Estland	
Directe vervangers kwaliteit onvoor-waardelijk									
Onder-steunend	Strootman geen speel-minuten EK 2012								
Afvallers	Blessure Strootman			Blessure Strootman					Str a tr w E

Interventies door Van Gaal in relatie tot Strootman

76

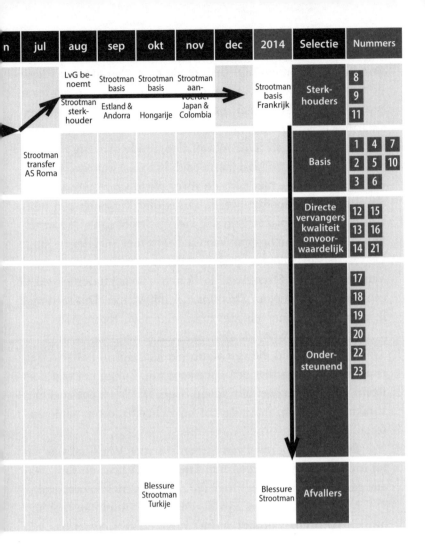

n	jul	aug	sep	okt	nov	dec	2014	Selectie	Nummers
		LvG be-noemt / Strootman sterk-houder	Strootman basis / Estland & Andorra	Strootman basis / Hongarije	Strootman aan-voerder / Japan & Colombia		Strootman basis Frankrijk	Sterk-houders	8 9 11
	Strootman transfer AS Roma							Basis	1 4 7 2 5 10 3 6
								Directe vervangers kwaliteit onvoor-waardelijk	12 15 13 16 14 21
								Onder-steunend	17 18 19 20 22 23
				Blessure Strootman Turkije			Blessure Strootman	Afvallers	

77

Strootman vormde samen met Clasie en Sneijder het middenveld. Sneijder als creatieveling, Clasie als controleur en Strootman voor diepgang. Gedurende de wedstrijd werd Clasie gewisseld voor Fer omdat Van Gaal meer diepgang in het team wilde brengen. Strootman nam daarbij de rol van Clasie over. Daarmee bewijzend dat Van Gaal Strootman zowel in het profiel van de controleur als in de rol van diepgaande man zag zitten.

De volgende mijlpaal kwam snel. Van Gaal was op zoek naar een nieuwe aanvoerder door de afwezigheid van eerste aanvoerder Sneijder en doordat tweede aanvoerder Kuijt niet kon rekenen op een basisplaats. Zijn oog viel op Strootman. De aanstelling van Strootman besprak Van Gaal eerst met Sneijder en Kuijt. De reactie van Sneijder sprak boekdelen over hoe gecharmeerd Van Gaal was van Strootman. 'Ja, ik heb je op het trainingsveld al een keer horen roepen: "Strootman, ik hou van je." Dus toen wist ik al dat jij als trainer iets met zo'n speler hebt.' (bron: *AD*)

Van Gaal verwoordde de keuze voor Strootman als volgt:

'Hij is iemand die een voorbeeld kan zijn in het veld. Hij is op meerdere posities een optie voor mij. Buiten het veld doet Kevin nog niet zo snel zijn mond open. Dat heeft ook met zijn karakter te maken, maar dat zal hij zichzelf moeten aanleren.' (bron: *AD*)

Een ander voordeel van Strootman voor Van Gaal was dat hij met zijn 22 jaar samen met Sneijder (28 jaar) en Kuijt (32) alle generaties binnen het Nederlands elftal vertegenwoordigde.

Met zijn 22 jaar en 240 dagen kwam Strootman met stip binnen op plaats vier van de lijst van jongste aanvoerders van Oranje aller tijden. Jonger dan bijvoorbeeld grote namen als Van Basten en Gullit. De drie mannen die de plekken boven Strootman innamen, waren uit de periode 1905-1907.

Maar Van Gaal bleef ook kritisch op Strootman. Zo werd Strootman in die periode door Van Gaal aangesproken op het feit dat hij soms emotioneel, haast opgefokt, reageerde in wedstrijden. Hiermee zichzelf uit de wedstrijd halend. Iets dat hij ook al had teruggekregen van zijn toenmalige trainer bij PSV, Dick Advocaat, en dat verhalen in de media opleverde. Naarmate

Strootman zich verder ontwikkelde verschoof het beeld van de opgefokte middenvelder naar het beeld van een speler die voor rust en evenwicht kan zorgen.

Ondanks de nieuwe status eindigde het seizoen 2012/2013 voor Strootman met twee teleurstellingen. Met zijn club PSV greep hij naast het kampioenschap en ook op het EK onder de 21 kon hij als aanvoerder niet voorkomen dat Jong Oranje in de halve finale werd uitgeschakeld door Italië.

Gelukkig voor Strootman begon het seizoen 2013/2014 beter. Hij maakte een toptransfer naar AS Roma (na onder anderen advies te hebben gevraagd bij Van Gaal). En in tegenstelling tot een aantal andere spelers werd Strootman ondanks een nieuwe club geselecteerd voor de oefenwedstrijd tegen Portugal. Van Gaal gaf aan dat hij bij Strootman 'de minste zorgen' had of die zich als vertrokken eredivisiespeler wel zou redden in het buitenland. (bron: *AD*)

En Van Gaal ging verder met zijn vertrouwen uit te spreken in Strootman. Rond de oefenwedstrijd tegen Portugal bevestigde Van Gaal dat Strootman, samen met Van Persie en Robben tot de sterkhouders van het team behoorde. Hiermee was een plek voor Strootman op het WK verzekerd. Vertrouwen dat hij al direct in de wedstrijd terugbetaalde door een goal te maken tegen Portugal.

De rest van de WK-kwalificatie bevestigde Strootman zijn nieuwe status. Van alle internationals deed Van Gaal de meeste minuten een beroep op Strootman (774 minuten in negen wedstrijden volgens vi.nl). Hij moest alleen de laatste wedstrijd tegen Turkije missen wegens een blessure.

Het kwam dan ook als een klap toen bekend werd dat Strootman zijn kruisband had gescheurd. Einde WK. Voor Strootman persoonlijk een klap. Voor de bondscoach een nieuwe puzzel. Een puzzel met een aantal oplossingsrichtingen.

1. Strootman wordt vervangen door een speler met diepgang (type Leroy Fer/Davy Klaassen)
2. Strootman wordt vervangen door een type controleur (type Nigel de Jong/Jordy Clasie)
3. Van Gaal past de strategie en bijbehorende profielen aan.

Van Gaal wikt en weegt over de oplossing. In *NRC Weekend* zegt hij hierover: 'Ik heb nog nooit voor dit vraagstuk gestaan, want ik heb altijd een nummer twee in een positie gehad. Maar een tweede Strootman hebben we niet. Hij kon met zijn dynamiek zorgen voor balans op het middenveld. Ik wil spelen met een creatieve en een dynamische middenvelder en een in een verdedigende rol. Dat kan ik nu vergeten. We kunnen niet meer spelen zoals ik voor ogen had. Dus ik moet iets anders verzinnen, daar ben ik nu op aan het broeden.' Wat Van Gaal uiteindelijk beslist zal daarbij mede afhangen van de vorm en fitheid die verschillende spelers etaleren aan het einde van het seizoen. Dat Van Gaal daarbij niet bang is om voor de jeugd te kiezen heeft hij gedurende zijn hele loopbaan laten zien. Wordt Klaassen à la Thomas Müller de nieuwste verrassing uit de hoed van Louis van Gaal? Wordt vervolgd!

9. Van analyse naar prestatie

Van Gaal besteedt veel aandacht aan het verbeteren van de prestaties op het veld door de kracht en de zwakte van zijn eigen team en de tegenstander te analyseren. In het samenstellen van de staf koos hij juist hiervoor de specialisten met wie hij eerder succesvol werkte. Max Reckers, Frans Hoek en Edward Metgod waren allen eerder assistent van Van Gaal en werken tot en met het WK 24/7 om de prestaties van de spelers te kunnen verbeteren.

De nieuwe staf werd meteen fors aan het werk gezet om de voorselectie te maken voor de eerste oefenwedstrijd tegen België op 15 augustus 2012. Een van de belangrijkste lessen die hij leerde tijdens zijn eerste periode als bondscoach was dat hij te lang een aantal spelers beschermde terwijl ze niet presteerden. Om dit te voorkomen introduceerde Van Gaal bij zijn aanstelling al de drie belangrijkste criteria om in aanmerking te komen voor Oranje:

1. **Kwaliteit**
2. **Speelminuten**
3. **Fitheid**

De erfenis van Van Marwijk was de startsituatie voor Van Gaal met een lijst van 50 spelers die in aanmerking kwamen voor het Nederlands elftal. Van Gaal besloot met zijn staf onderscheid te maken in de A-lijst, de schaduwlijst en de 'te volgen' lijst. Elke week komt de staf samen om wijzigingen in deze lijsten te bespreken op basis van de wedstrijden van de voorafgaande week.

De scoutingformule voor de staf is hierbij eenvoudig en intensief. Alle spelers die op de lijsten staan worden elk weekend gevolgd door de staf. Dit is een combinatie van de spelers live in het stadion volgen en de wedstrijden via de televisie volgen. Eén keer per vier tot zes weken wordt een speler die in het buitenland speelt live in het stadion gevolgd.

Als er door de prestaties van spelers in het weekend wijzigingen in het voorbereidende overleg van de staf worden vastgesteld, vindt in het daaropvolgende overleg met Van Gaal het besluit plaats. De wijziging moet worden onderbouwd met de argumentatie, waarbij videobeelden en analyses van het rendement van de speler een belangrijke rol spelen.

Bij het scouten van de spelers die voor hun club spelen waarderen Blind, Kluivert, Hoek, Metgod en Spelbos vooral:

- De oriëntatie: waar staat de speler; ook ten opzichte van medespelers en de tegenstander
- De keuzes die de speler maakt
- Het rendement van deze keuzes
- Het coachen binnen het veld
- Het uitvoeren van de opdrachten van de coach

Deze criteria worden gewaardeerd voor de drie hoofdmomenten in het voetbal: balbezit eigen team, balbezit tegenstander en balverlies/ balverovering.

Voordat de spelers op 13 juni de eerste wedstrijd van het Nederlands elftal tegen Spanje spelen, hebben ze de wedstrijd al twee keer gespeeld. Hoe werkt Van Gaal in de week naar deze wedstrijd toe om van de analyse naar een verbeterde prestatie op het veld te komen?

STAP 1: VOORBESPREKING

Tijdens de voorbespreking bespreekt de staf in een plenair teamoverleg eerst de kracht en zwakte van de tegenstander. Dat gebeurt aan de hand van twee separate scoutingrapportages, ondersteund door videobeelden van de tegenstander met een lengte van ongeveer twaalf minuten.

Na de video volgt een powerpointpresentatie met informatie over de spelers van de tegenstander. De voorbespreking eindigt met het bespreken van de penalty's en de spelhervattingen die alle verzameld zijn in een database.

Van elke vrije trap tegen zijn bijvoorbeeld de vijf meest voorkomende uitvoeringen in kaart gebracht. In de wedstrijd tegen Colombia leidt de spits Falcao altijd de aandacht van de verdedigers af. Met veel armgebaren en drukke bewegingen probeert hij het middelpunt van de aandacht te zijn. Bij een vrije trap vanaf de zijkant trekt hij altijd naar de eerste paal. Maar daar gaat de vrije trap niet naartoe. De voorzet komt namelijk altijd bij de tweede paal waar de bal wordt teruggekopt naar een vrije medespeler die klaarstaat om het doelpunt te maken. In de staf van Oranje is Frans Hoek verantwoordelijk voor het analyseren van de spelhervattingen. Hij onderzocht de spelhervattingen van Colombia en liet dit aan de spelers zien in videoclips van maximaal acht minuten. In de wedstrijd zelf wisten zij wat er ging gebeuren. Colombia werd niet gevaarlijk met de vrije trappen in de wedstrijd tegen Oranje.

STAP 2: TRAINING 11-TEGEN-11

Na de voorbespreking volgt vanzelfsprekend de eerste training. Drie dagen voor de wedstrijd wordt het strijdplan getraind in een 11-tegen-11 trainingsvorm. Het schaduwelftal wordt gecoacht door Danny Blind en speelt exact hoe de tegenstander speelt. De training wordt met eigen camera's opgenomen en Max Reckers voert de eigen live data-analyse uit. Na de trainingsvorm volgt aan de hand van de videobeelden en de data-analyses de evaluatie van de eerste training. Wat ging goed en wat niet?

Twee dagen voor de wedstrijd speelt de basis nogmaals in een 11-tegen-11 trainingsvorm de wedstrijd tegen Spanje. Dichter bij de perfectie. De lat ligt hoger. Als een speler een foute keuze maakt legt Van Gaal het spel direct stil en spreekt de speler er hard op aan. Alles moet goed zijn. Deze trainingsvorm vindt plaats afhankelijk van de tijd, fitheid van de spelers en de faciliteiten. De trainingsduur zal ook variëren. Het filmen van deze tweede trainingsvorm met eigen camera's en de eigen live data-analyse hangt af van de situatie.

STAP 3: LINIEBESPREKINGEN

Op de dag van de wedstrijd volgen de liniebesprekingen. Deze liniebesprekingen met de verdediging, de middenvelders en de aanvallers doet Van Gaal altijd zelf. De besprekingen duren maximaal een half uur. Tevens worden de videobeelden van de trainingen gebruikt om situaties toe te lichten en worden specifieke details uit de wedstrijdtactiek toegelicht. Ten slotte bespreekt Frans Hoek de spelhervattingen met het team en de individuele spelers.

Kevin Strootman legt het belang van het analyseren van de spelhervattingen uit. 'We besteden veel aandacht aan de dode spelmomenten. Al een paar dagen voor de wedstrijd komen ze aan bod. We krijgen beelden te zien van de tegenstander. Een selectie van de patronen die zij hanteren en beelden die laten zien waar ze kwetsbaar zijn. Daar stemmen wij onze aanpak op af.'

Volgens Strootman helpt het ook dat de spelers mee mogen denken met de varianten. 'Als speler word je medeverantwoordelijk gemaakt voor hoe die varianten er telkens uitzien. Dat je moet meedenken is een extra prikkel die bij voetballers wel helpt.' (bron: meemetoranje.nl)

STAP 4: WEDSTRIJD

Voor de wedstrijd volgt de laatste wedstrijdbespreking in de vorm van een powerpointpresentatie. Tijdens de wedstrijd wordt er naast de reguliere videoregistratie en analyse weer gebruikgemaakt van de eigen cameraregistratie en eigen live data-analyse. Bovendien zijn er slowmotions beschikbaar voor specifieke details uit de wedstrijd.

STAP 5: NABESPREKING

De nabespreking van de wedstrijd is de laatste stap voor de eerste stap naar de volgende wedstrijd. Deze bestaat voornamelijk uit de analyse die Danny Blind deelt met het team. Hij ondersteunt de analyse met individuele beelden per speler met de sleutelmomenten van de wedstrijd voor hem. De nabespreking eindigt met een afsluitend filmpje voor het hele team.

Gertjan Verbeek staat bekend als een coach die openstaat voor vernieuwing en innovatie om de prestaties van de spelers te verbeteren. Hij vertelt over het belang van vernieuwende analyses.

'Ik volg met veel belangstelling de ontwikkelingen. Natuurlijk niet als professional maar de boeken die hierover verschijnen lees ik. Over specifieke onderwerpen waarvan ik te weinig kennis heb, raadpleeg ik specialisten.'

Met Toon Gerbrands is hij naar Australië gegaan voor de ontwikkelingen bij het meten van de slaap bij topsporters. 'Het gaat heel ver om sporters ook tijdens hun slaap te monitoren, maar dat doen ze wel in Australië. Als jij op de Olympische Spelen een gouden medaille wilt halen, moet je ook ver gaan. We zijn nog niet zover in het voetbal dat we dertig voetballers naar huis sturen met een slaapmonitor. Maar dat gaat zeker gebeuren.

Als een topsporter met een normale hartslag van 35 in slaap, wakker wordt met een hartslag van 45, dan heeft dat een oorzaak. Daar kun je eerder naar op zoek gaan als je dat monitort. Wellicht is er griep op komst. Dat kun je meteen onderdrukken met medicijnen. Of komt het door problemen thuis? Of door een slechte nachtrust omdat de kleine huilt? Zo kun je nog beter op maat bepalen met welke intensiteit een speler kan trainen.

Er is ook nog veel winst te halen op het punt van ruimtelijke oriëntatie. Bij Manchester United doen ze dat bijvoorbeeld met spelvormen op de computer. Ook voor keepers, die moeten reageren op lichtflitsen en dergelijke. Met maar één doel: het verbeteren van het reactievermogen van de keeper.'

Maar er is meer dan analyse alleen. Leo Beenhakker vertelt hoe hij een belangrijke speler weer aan het presteren kreeg. 'In oktober '97 nam ik het over van Arie Haan, die werd ontslagen. Het was altijd mijn droom geweest Feyenoord te trainen. Ik ben geboren in de schaduw van het stadion. In de selectie zat Julio Cruz, een goede Argentijnse voetballer, trots. Maar die raakte helemaal geen knikker. De eerste training dacht ik: wat is dit in godsnaam? De volgende dag ben ik samen met mijn vrouw met Cruz en zijn vrouw gaan eten in een restaurantje in de buurt. We hebben zitten ouwehoeren over het leven. Het bleek een fantastische jongen met een klein hartje te zijn. De volgende ochtend kwam er een heel andere persoon de kleedkamer binnenlopen.

Stralende ogen, rechtop. De trotse Argentijn, de latino was terug. De week daarna speelden we Champions League tegen Juventus, thuis. Hij scoorde twee keer. Hij was helemaal los. Een fantastische spits. Hoe simpel kan het zijn?'

10. De spiegel van Marc Lammers

In de voetbalwereld mag Van Gaal dan wel vooruitstrevend zijn, maar hoe kijken zijn collega-topcoaches daartegenaan? We spraken vijf topcoaches die Van Gaal een spiegel voorhouden: hockeycoach Marc Lammers over zijn persoonlijke visie en zijn omgang met staf, spelersgroep, sterkhouders en strategie.

'Ik heb Gertjan Verbeek hoog zitten als coach en heb veel geleerd van zijn periode bij Feyenoord. De coach heeft iets in zijn hoofd, en wil dat vaak doordrammen. Hij had kunnen gaan zitten met de ervaren spelers. Hoe denken jullie dat we jonge spelers beter maken in deze moderne tijd? Dan zouden ze misschien zelf zeggen: krachttraining en videoanalyses. Dan zou je met ze kunnen afspreken: "Goed, maar dan moeten jullie wel het goede voorbeeld geven. Want jullie horen er wel bij, het is een team." Als ze daar niet akkoord mee waren gegaan, dan gaat het niet werken en ga je niet naar Feyenoord.'

Het zijn de woorden van Marc Lammers, de huidige bondscoach van het Belgisch hockeyteam. Hij legt uit hoe je je persoonlijke visie en strategie overbrengt aan je team.

'Je moet dat commitment, wat je wil bereiken met elkaar, afstemmen voordat je tekent. Sommige coaches praten met belangrijke spelers voordat ze tekenen. Maar in 99 procent van de gevallen is er nooit een gesprek geweest tussen spelers en coach voordat hij tekent. Dan kan er wel een commitment zijn, maar dat is dan opgelegd. Dat werkt minder goed dan commitment dat uit het team zelf komt. Ik laat de spelers zelf bepalen wat ze willen bereiken en hoe ze het willen bereiken. Bij de spelers van België weet ik dat wat ze willen bereiken, overeenkomt met wat ik zelf ook wil. Bij België is het niet gelukt dat voor het tekenen van het contract te doen. Bij Den Bosch wel. Daar heb ik gezeten met de spelersgroep voordat ik tekende.

Topsporters zijn van origine testosteronbommen, heel erg

egocentrisch. Het zijn de jagers van vroeger, die gingen alleen op pad en kwamen terug met de prooi. De man denkt: *what's in it for me.* Je moet, misschien wel voordat je tekent, de grootste tegenstanders die je verwacht individueel spreken. Want mensen die de grootste weerstand hebben kunnen alles voor je tegenhouden. Als Verbeek de ervaren jongens bij Feyenoord, zoals Van Bronckhorst en Makaay, verantwoordelijk had gemaakt voor veranderingen, voordat hij het contract tekende, was het misschien anders gegaan.

Voordat ik mijn contract tekende voor België ben ik gaan zitten met de assistent, Jeroen Delmee, met wie ik verder ben gegaan. Ik heb hem gevraagd: "Hoe zit het met de discipline?" Dan hoor je ook: "Het zijn jongens die best willen, maar de omgeving moet veranderen. Dus de club verplicht internationals naar de disco te komen, maar dan moeten ze de volgende dag trainen. Maar de jongens willen wel." De clubs verander ik niet, maar ik kan ze wel uitleggen dat ze niet op zondag een feestje kunnen vieren.'

OVER HET SAMENSTELLEN VAN DE STAF

'Niet alleen de spelers, maar ook de begeleiders in het team moet je committeren voordat je tekent. Waar je heel erg voor moet uitkijken is als je een begeleidingsteam zelf mag samenstellen. In het begin van mijn carrière nam ik alleen maar daadkrachtige vriendjes mee, die op mij leken. Na de Olympische Spelen zeiden de speelsters: "Marc, we willen heel graag met je door, maar wel met een ander begeleidingsteam." We waren net tweede geworden op de Olympische Spelen. De voorzitter van de hockeybond, André Bolhuis, vroeg me: "Hoe komt het nou dat je elke keer tweede wordt?" Ik noemde op wat ik allemaal beter kon. Waarna hij zei: "Je gaat nog vier jaar door."

Hij zei: "Je bent nog bezig jezelf te verbeteren. Als je had gezegd dat het lag aan de scheidsrechter of aan het weer, dan was het wat anders." Vervolgens vroeg ik hem mijn begeleidingsteam samen te stellen. Hij kwam met Rob Bianchi, een voetballer en het tegenovergestelde van mij nota bene. Eerst vond ik het helemaal niks, maar ik ben het gesprek aangegaan. Hij had heel andere ideeën dan ik.

Op dag vier van het toernooi zeg ik 's ochtends tegen hem: "We moeten vanmiddag nog trainen en 's avonds nog iets bespreken." Zijn antwoord was kort: "Je moet even ophouden Marc. We gaan met het team de stad in." Dat vond ik eerst echt niet kunnen, maar de meiden waren enthousiast. Ze waren er lekker uit. Even geen hockey. Met als beloning dat ze zelf vroegen: "Zullen we vanavond nog even trainen en daarna video's analyseren?" Ik heb daar veel van geleerd. Ook van Jan Albers, uit het bedrijfsleven. Hij gaf mij geduld. Hij en Rob Bianchi, dat was een goede leerschool. Ik ben er sindsdien van overtuigd dat het goed is als je een ervaren man je begeleidingsteam laat samenstellen. En dat je niet automatisch je eigen team mee moet nemen.'

OVER DE SPELERSGROEP

'Het liefst heb ik, voordat ik het contract onderteken, een intensieve sessie met de spelers. Ik vraag ze wat ze willen bereiken, wat de kernwaarden worden en wat onze regels zijn. Bij Den Bosch heb ik dat ook gedaan. Ik zeg tegen het bestuur: "Wij zijn het er wel over eens dat we acht keer moeten trainen, maar als de jongens het niet willen houdt het op."

Ik heb een zwaar gesprek gehad met de spelers. Drie, vier ervaren spelers zeiden: "Acht keer trainen per week lukt me niet met mijn werk." Dan vraag ik: "Hoe vaak kun je wel?" En dan hoor je: "Nou, zes of zeven keer lukt me wel." Vervolgens vraag ik de rest van de groep: "Accepteren we dat hij er af en toe niet is? Hij is ervaren, misschien niet zo fit maar beter worden lukt toch niet meer." De groep bepaalt dan wat ze accepteren, vooraf. Je kunt pas mensen erop aanspreken als je iets hebt afgesproken. Als je het niet hebt afgesproken, heb je geen plan gehad en heb je dus excuses.

Bij Den Bosch heb ik dat heel goed gedaan. Na dat gesprek dat bijna drie uur geduurd heeft, heb ik pas besloten dat ik het wilde gaan doen. Want als je een aantal dingen voor ogen hebt en dat wordt niet door het team geaccepteerd, dan lig je er na drie maanden weer uit. Of je moet je zo gaan aanpassen, dat je geen plezier meer hebt.

Dat geeft inzicht. Als mensen bovenaan in de hiërarchie achteraan lopen tijdens de training, dan heb je een probleem. Makaay in 2008 bij Feyenoord. Zij moeten juist als eerste krachttraining doen en de videoanalyse accepteren. Als zij niet voor zichzelf, maar voor de jeugd, deze methodes accepteren gaat het beter. Als je ze vraagt: hoe denk jij dat de jonge spelers het beter kunnen doen, dan moet hij erover nadenken.

Vroeger ging ik eerst mijn plan presenteren aan de staf, nu ga ik gewoon vragen stellen. Ik ben voorstander van het creëren van ownership door het stellen van open vragen. Wat moeten we doen? Welke keuzes moeten we maken? "We moeten fit zijn," zegt een speler. Maar wat houdt fit zijn in? Hoe meten we dat? Met de begeleiding zitten we soms wel twee dagen op de hei om afspraken te maken. Dan komen we tot een plan, maar we gaan de spelers hetzelfde vragen en dat leggen we naast het stafplan.

Voordat je een seizoen of campagne begint, heb je minimaal een week nodig om met je staf en spelers op een lijn te komen. Voordat je begint aan de eerste training. Het is natuurlijk raar dat spelers terugkomen van de vakantie en het eerste wat ze doen is conditietraining. Je moet met ze gaan zitten. Vragen stellen. Wat gaan we doen, voordat we gaan lopen? Iedereen denkt aan de volgende club, maar om de volgende club te halen moet je goed presteren. En daarvoor moet het team goed presteren. Leg dat eens uit in het begin en vraag: "Hoe zorg je dat het team goed speelt zodat jullie weg kunnen?" Daar kan je heel eerlijk in zijn. De club wil geld verdienen, maar hoe kunnen wij het team beter maken?

Teams die dit doen, komen als team naar buiten. Dat zie je, dat stralen ze uit. Het WK2010 in Zuid-Afrika was een mooi voorbeeld. Frank de Boer, toentertijd assistent van Van Marwijk, had van mij gehoord over afspraken met spelers. Met vragen als "Hoe reageer je als je op de bank zit en je bent sterspeler bij je club?" De spelers zeggen dan: "Denken in teambelang." Dus zo moet je ook naar buiten komen. Elke keer als Van der Vaart niet speelde, zei hij: "Het is teambelang, maar ik hoop dat ik mijn kans nog krijg." Daar zat een plan achter.

Vier jaar later zat Frank de Boer er niet meer bij. Er werd te veel van uitgegaan dat de regels toen nog steeds golden. Ik vind dat je elk toernooi voor de eerste training je spelers en staf moet betrekken bij het masterplan. Niet alleen bij de uitvoering. Wat willen we bereiken en wat hebben we daarvoor nodig? Alles wat we doen, gaat positief en resultaatgericht. Geen feedback maar feedforward. Iedereen heeft de kans inbreng te geven, dat geeft veel energie. In feedback zit geen energie, dan gaat het alleen maar over dat wat fout gaat. Bijvoorbeeld: "Die pass was niet goed."

Mijn stelling is: "Degene die het meest klaagt, maak ik voorzitter van de klaagclub."

Bij het Nederlands damesteam hoorde ik: "We willen een mooiere uitstraling hebben, een sexy uitstraling." Fatima had bijvoorbeeld altijd wat te klagen over de kleding. Toen heb ik gezegd: "Hoe gaan we dat doen? Oké, Fatima, dan ben jij voorzitter van de nieuwe tenuetjes. O wee als het niet goed is, dan is het jouw schuld." Fatima is naar Adidas gegaan en heeft daar drie dagen gezeten. De intrinsieke motivatie is de why. Waarom zou ik dat afkappen, als het team dat belangrijk vindt? Als team moet je iets doen om je te onderscheiden. Dat kan kleding zijn, hoe je het veld oprent of het volkslied. Dat moet vanuit het team zelf komen. Bij het voetbal wordt dat te veel opgelegd.

Ik had een hekel aan passieve spelers. Terwijl ik er later achter kwam dat passieve spelers juist heel goed zijn in finales. Die zijn nooit zenuwachtig, kunnen heel goed relativeren, doen hun werk de hele tijd hetzelfde. De middenvelders, de olie in de machine. De Willy van de Kerkhofs. Je kunt bij Real Madrid ook niet alleen maar Ronaldo's hebben, ook al dachten ze dat ze daarmee kampioen kunnen worden. Je hebt ook een paar schavers op het middenveld nodig. Je moet diversiteit hebben in je team.'

OVER DE ROL VAN STERKHOUDERS

'Ik zou in de hele voorbereidingsfase richting het WK geen aanvoerder aanwijzen. Het voetbal heeft een erge haantjescultuur. Er was niet echt een duidelijke leider die voorop liep en het goede voorbeeld gaf. Dan zou ik zeggen: "Luister, elke wedstrijd doen we een ander in de voorbereiding. Laat maar zien wie er goed is." Tot het WK, want dat is namelijk een hele andere fase. Dan maak je de selectie bekend.

Nu ook met het Belgische hockeyteam weet niemand wie er aanvoerder is. Tot de selectie bekend is weet ik het ook niet. Daarna gaan we het er wel over hebben. Ik maak het ook niet belangrijk. En als jij het als coach niet belangrijk maakt, dan gaan de jongens het ook niet belangrijk vinden. Ik ben er niet mee bezig, we willen gewoon de beste zijn. Die jongens werken allemaal tien keer harder, want er is nog niks bekend. Als je het belangrijk vindt, dan ga je ervoor vechten.

Er is zo veel verschil tussen een bondscoach en een clubcoach. Een clubcoach heeft elke week een wedstrijd; een hele andere periodisering en tijdsbalk dan een nationaal team. Bij een nationaal team kun je dit soort dingen, zoals een aanvoerdersband, veel beter rouleren tijdens de kwalificatie. En bij het grote toernooi beslis je.

De leider is een natuurlijke leider, die staat vanzelf op bij die wedstrijd. Bij losse interlands bepaal je twee dagen voor de wedstrijd wie het beste presteert, die is vandaag aanvoerder. Dan heeft hij het afgedwongen. Dat is ook een beloning. Iedereen snapt het ook. Ik vind vaak dat er te veel aandacht aan een stukje stof wordt gegeven, maar het gaat om de inhoud. De vraag is of het belangrijk moet zijn. Het is zo ouderwets dat er hiërarchisch gedacht moet worden. De beste teams winnen met elkaar. En er staat altijd wel een speler op, maar dat hoeft niet de aanvoerder te zijn.'

OVER HET VERBETEREN VAN PRESTATIES DOOR INNOVATIE

'We hebben een inspanningsfysioloog die verantwoordelijk is voor de inspanningen. Die meet precies hoe hard iemand traint, ook bij de clubs. Dus weten we precies wanneer we iemand rust moeten geven. We hebben nu zelfs een systeem dat als een speler tijdens een wedstrijd twee keer in het rood komt, er een rood lichtje gaat branden met zijn rugnummer. Als de hartslag vervolgens weer onder de 120 bpm komt, dan wordt het lichtje groen en mag hij er weer in. Dus ik wissel bijna niet meer, het is de computer die wisselt. Sinds die tijd hebben we structureel 30 procent minder blessures. Voorheen liet je iemand staan en scheurde hij bijvoorbeeld zijn hamstring af. Fysiek wordt steeds belangrijker in de sport en begeleiding wordt ook steeds belangrijker. Meten is weten. Dus weten wanneer er overbelasting is en weten wanneer iemand niet goed geslapen heeft.

Elke dag worden de metingen gedaan. Het gewicht wordt gemeten; we beoordelen of er niet te veel schommelingen in zitten. Elke dag wordt urine afgenomen om te bekijken hoe het vocht is. En één keer per week wordt er bloed afgenomen om te kijken hoe het zit met de voeding.

Op toernooien gaan we ver om de prestaties van het team te verbeteren. We houden de slaapuren en de kwaliteit van de slaap per speler bij. Tegenwoordig heb je een App op je telefoon die dat goed kan meten. We passen lichttherapie toe. Dat hebben we gedaan tijdens de Olympische Spelen in China. Innovatie hoeft ook niet complex te zijn. Heel simpel is wat we doen met een iPad. Daar staan vier vragen voor de spelers op. Je hoeft alleen maar van 0 tot 10 in te vullen hoe je je op dat moment voelt. Vraag één is: hoe lig je in de groep? Vraag twee: hoe voel je je lichamelijk/emotioneel? Vraag drie: hoe voel jij je privé/emotioneel? Vraag vier: hoe voel je je emotioneel ten opzichte van de coach?

De fysiotherapeut ziet de antwoorden op de vragen ook. Bij afwijkingen zal hij sneller op de betreffende speler afgaan. Idem voor de dokter en de sportpsycholoog. Ook hierdoor hebben we 30 procent minder blessures. Spelers houden een vertrouwensband met de specialist. Ook in de voetbalwereld moeten ze meer diversiteit om zich heen zoeken, mensen uit een andere sport. Deze iPad zou je ook kunnen implementeren bij een voetbalclub. Het scheelt je miljoenen.'

OVER INTERVENTIES VOOR HET VERBETEREN VAN DE FITHEID

'We zijn twee jaar voor het WK naar China gegaan, in dezelfde maand. Daar kun je meten: wie verliest hoeveel vocht tijdens de wedstrijd? Hoeveel stijgt de lichaamstemperatuur? Dat was redelijk schrikbarend. Sommige spelers verloren vier liter vocht in een wedstrijd. Dat is heel veel. Zoveel kun je niet drinken tijdens een wedstrijd, dan moet je wel met een infuus gaan werken.

Je kunt veel expertise inschakelen. Je speelt niet tegen de temperatuur, je speelt tegen de concurrent en die heeft hetzelfde. Dus zorg dat jij beter voorbereid bent. Die ijsbaden bijvoorbeeld. Iedereen denkt dat het te maken heeft met je spieren, maar ze zijn juist om je lichaamstemperatuur omlaag te brengen. Je hoeft niet bang te zijn dat anderen innovaties kopiëren. We hebben bijvoorbeeld nu een langere stick, maar anderen weten niet hoe ze die moeten gebruiken. We hebben ijsbaden, maar ze weten niet op welke temperatuur en hoe lang we die gebruiken. Dus ze komen allerlei kinderziektes tegen.

Ik zou als coach van het Nederlands elftal drie keer naar Brazilië gaan. Bij voorkeur nog een keer met je team of in elk geval met je keyplayers. Tests doen. Wie heeft er last van hoge bloeddruk, wie heeft het meeste vochtverlies? Wat je ook ziet is dat spelers in Nederland geen last van astma hebben, maar ergens anders wel. We hadden met Nederland vier spelers die in China wel last van astma hadden en in Nederland niet. Je moet je aanpassen aan de weersomstandigheden en veel meer onderzoek doen. Je kunt niet het weer veranderen, maar wel jezelf veranderen.

Het olympische voetbalteam is in China tegen alle omstandigheden aangelopen. Ze hebben het niet gehaald en zijn uitgeschakeld. Het kwam door de temperatuur en er moest veel gereisd worden. Maar dan denk ik: de concurrentie had daar geen last van? Je kunt plannen, je had vluchten direct na de wedstrijd kunnen doen en zo een extra rustdag kunnen krijgen. Je had met ijsbaden kunnen werken, met andere dranken. Ik zou veel meer onderzoek doen naar Brazilië nu.

Statistieken meten het proces, het scorebord meet het resultaat. Dan ben je al te laat. Je weet niet wat er fout gaat. Geldt ook voor je statistieken. Je moet ze bij jezelf meten, maar ook bij je concurrenten. Hoe vaak valt een team bijvoorbeeld aan over rechts, of over links. Er zijn landen die zijn heel erg georiënteerd over de rechterkant bij hockey, maar moet je de linkerkant dan dichtzetten? Wat is het rendement als ze over rechts komen? Als ze honderd keer over rechts komen en ze halen er tien keer iets uit en ze komen twintig keer over links en ze halen daar ook tien keer iets uit, dan is het rendement over rechts laag. Dus je moet heel erg meten: waar zijn ze goed in en waar zijn ze niet goed in? Dat is lastig, want je moet van iets subjectiefs iets objectiefs maken. Daarom is de film *Moneyball* ook zo mooi, want daarin gebeurt dat. Dat is ook makkelijker voor een coach om een speler te overtuigen. Die wil weten: *what's in it for me?* Waar schiet de rechtsbuiten het liefste mee? Links of rechts? Maar vooral, waarmee is het rendement het hoogst?

Statistieken laten we veel zien. Conclusies, geen details. Altijd gekoppeld aan beelden, want beelden zeggen meer dan woorden. Tien procent onthoud je van wat je hoort, 35 procent van wat je ziet, en 55 procent onthoud je van wat je gehoord en gezien hebt. Zeventig procent onthoud je van wat je zelf gezegd hebt. Daarom is die betrokkenheid zo belangrijk en zijn open vragen zo belangrijk. Dan moet je gaan nadenken en met een antwoord komen. Dat is de spreekbeurt van vroeger. Dan moet je het voorbereiden en zelf zeggen. Negentig procent onthouden mensen van wat ze ook nog mogen doen. Dus zelf analyseren, zelf presenteren. Hoe omgaan met pressie, het analyseren van de spits. Als ik vroeger zei: "Je moet zo en zo aanlopen," dan ging het twee keer fout. Ze hadden niet eens in de gaten waarom ze zo moesten lopen.'

OVER DE OPBOUW NAAR EEN EINDTOERNOOI

'Ik vind het heel belangrijk om een sessie op de hei te doen. Alle neuzen dezelfde kant op en o wee als iemand aan zijn eigen belang denkt. Dan moet het team hem kunnen corrigeren. Ik zou zelfs de internationals laten overkomen die met hun clubs nog in competitie zijn. Niet om te spelen, maar om te praten. Alle keyplayers zijn erbij. Ze zijn namelijk eigenaar van het plan en dat eigenaarschap wil ik ze kunnen geven.

Een van de belangrijkste zaken in de periodisering naar zo'n toernooi toe is dat er plezier is, fun is. Er is onderzoek gedaan naar mensen die lachen, die maken endorfine aan en drogine. Endorfine geeft energie en euforie en drogine is verslavend. Lachen en scoren is verslavend. Waarom is sport leuk? Je kunt vaak scoren. Je moet gewoon zorgen dat zo'n team vaak scoort. Dat doe je door spelletjes. Ik zou ook andere dingen gaan doen, bijvoorbeeld bobsleeën en kanoën. Maar wel met een wedstrijdvorm.

Dan komen de keyplayers terug en zet je dat nog even door. Ook met fun, andere dingen doen, andere sporten. Kijk, voetbal ga je ze niet meer leren in een week. Tactisch kun je er wel aandacht aan besteden. Fysiek is heel belangrijk. De laatste vier weken gaat het om de fysiek. Waar je de meeste winst in kunt halen in een half uur, is jou te laten denken dat je tweehonderd kilo kan tillen. Door allerlei mooie foto's en filmpjes te laten zien. Mentaal en beeldvorming, daar kun je heel veel aan doen. Ik zou de laatste fase nog op fysiek zitten, maar twee weken voor het toernooi daarmee stoppen.

Dan de tactiek. Met name op mentaal vlak, weer met fun. Goede afspraken maken, elkaar belonen. Wat als iemand zich niet aan afspraken houdt? Wat doe je dan? Maar ook wat doe je als iemand dat wel doet? Dat doen we in Nederland te weinig. Dan merk je al dat er lol en sfeer komt. Het is ook raar dat Griekenland en Denemarken het EK winnen. Dat heeft heel erg te maken met geen verwachtingen en lol. Niet hameren op eindranking, je wint het WK met de eerste wedstrijd. De manier waarop je de wedstrijd ingaat. Gefocust, met plezier. Je komt gemakkelijker in een flow als je ontspannen bent. En niet als je heel gespannen bent. Je moet wel spanning hebben, maar wat we noemen Sinterklaasspanning. Geen angst, van hier hebben we vier jaar voor gewerkt. Sinterklaasspanning is: yes, hij komt eraan. We hebben het gedichtje klaar, de wijn ingekocht, we zijn goed voorbereid, plezier. Dat kun je creëren als coach. Fun met elkaar, zin om het toernooi te spelen. Positieve beeldvorming. Dat zie je ook met hoogspringers, die staan helemaal te focussen hoe ze eroverheen gaan. En niet over de lat die eraf gaat dadelijk. Het gaat om de gretigheid, de wil om te winnen. Niet bang zijn, juist durven.'

11. De spiegel van Robert Eenhoorn

In de voetbalwereld mag Van Gaal dan wel vooruitstrevend zijn, maar hoe kijken zijn collega-topcoaches daartegenaan? We spraken vijf topcoaches die Van Gaal een spiegel voorhouden: honkbalcoach Robert Eenhoorn over zijn persoonlijke visie en zijn omgang met staf, spelersgroep, sterkhouders en strategie.

'Mijn entree kan je niet vergelijken met een coach die naar een voetbalclub gaat. Het Nederlandse honkbal was op dat moment nog niet zo groot ten opzichte van het topniveau in de wereld. Ik kwam met veel ervaring terug na tien jaar professioneel gespeeld te hebben in onder andere de beste organisatie in het honkbal. Het was voor mij dus andersom. Ik heb als eerste een nieuwe visie neergezet voor de organisatie. En de ambitie én de strategie. Inclusief de doorvertaling naar de spelersprofielen. Er was nog niet zoveel.'

De eerste woorden van Robert Eenhoorn smaken naar meer. Hoe ver ga je als coach in het ontwikkelen van de club?

'Het begint allemaal met het ontwikkelen van visie. Mensen in je organisatie moeten weten waar ze met z'n allen naar op weg zijn. Dat hoeft niet ingewikkeld te zijn. Wij willen nu bijvoorbeeld structureel behoren tot de top 3 van de wereld. Dat is het gewaagde doel dat wij hebben. Alles wat je daaronder hangt, daar zit een strategie achter. Wij denken te weten hoe dat pad eruitziet. Hoe we er uiteindelijk voor kunnen zorgen dat dat verwezenlijkt wordt.

Wat dat voor elementen zijn? Wij weten welk pad een atleet moet doorlopen om een toegevoegde waarde te kunnen zijn in het Nederlands team. Vergelijk je dat met voetbal, dan wil je waarschijnlijk spelers hebben in de grootste competities, spelend met de grootste weerstand. Dat willen wij ook. Dus willen we zoveel mogelijk spelers hebben die in die trechter komen.

Voor ons betekent dit dat een deel van de opleiding in de VS plaatsvindt. Want daar zit de hoogste weerstand bij jonge spelers. In onze visie is de ontwikkeling van de speler dan het uitgangspunt. Het tijdig herkennen van een getalenteerde atleet en hem vervolgens in een programma zetten dat zo goed is dat hij uiteindelijk in de VS terechtkomt.

Vervolgens moet je ervoor zorgen dat de spelers graag voor het Nederlands team willen spelen. Dat zijn twee separate trajecten. Het zorgen dat je spelers dicht bij je houdt in een aantal contactmomenten per jaar. En het ontwikkelen van een heel goede relatie met de profclubs waar de speler deel van uitmaakt. Zodat zij het ook prima vinden als wij die speler in het Nederlands team laten spelen. Ingewikkelder is het dus niet. We zetten veel kennis en funding in om dit goed te doen.'

OVER HET AFSLUITEN VAN EEN EERDERE PERIODE

'In een veilige setting ervoor zorgen dat spelers de mogelijkheid krijgen om te zeggen waarom zij denken dat er geen prestatie is geleverd. Met name zou ik dat willen weten van de dragende spelers. Hun de gelegenheid geven dat deel af te sluiten. Dus niet alleen vragen wat er fout ging, maar ook: hoe zou je dat kunnen verbeteren? Vervolgens je eigen visie neerzetten en zorgen dat je spelers committed maakt.

Ik zou daar met een deel van mijn staf bij willen zijn. Op dat moment heb je nog geen relatie met de spelers. Dus zou ik eerst zelf willen weten: wat leeft er? Wat is er echt fout gegaan? De spelers laten vertellen, maar toch ook sturing geven aan het gesprek. Zorgen dat het niet uit de hand loopt.'

OVER HET SAMENSTELLEN VAN DE STAF

'In het honkbal zijn een aantal posities behoorlijk zwaar. Onder andere de pitching coach, de bench coach, degene die bij mij de videoanalyse doet, de advanced scout. Dat zijn de posities die heel belangrijk zijn voor de hoofdcoach. Dan heb je ook een aantal posities in de staf, die wat minder zwaar zijn. Daar kun je dan de keuze maken om ervoor te zorgen dat de cultuur van de organisatie in stand wordt gehouden. Maar op de sleutelposities moet ik mensen hebben met wie ik kan lezen en schrijven. Die neem ik mee als ik ergens start.

Stel dat ik bondscoach word van Cuba? Dan zou ik op de sleutelposities mijn stafleden voorstellen. Maar ik zou geen staf samenstellen zonder Cubanen. Het gaat om het creëren van commitment met je staf, waarbinnen de mogelijkheid is voor goede discussies. Er moet loyaliteit zijn. Vooral als het een keer fout gaat moeten mensen committed zijn aan jouw visie. En dat kan je dus organiseren met het samenstellen van de staf.

Goede stafleden zijn complementair aan de hoofdcoach. Een aanvulling op de dingen waarin jij minder competent bent. Het hebben van expertise die bij jou niet zo ver reikt. Ik ben nooit zo van de hiërarchie geweest. Ook hier probeer ik het altijd zo te organiseren dat alles wat wij doen door iedereen gedragen wordt. Heel af en toe kom je dan niet uit. Dan ben je als verantwoordelijke degene die de beslissing neemt.

Ja, ik heb wel eens iemand meegemaakt die niet volledig committed was. Ik heb altijd mijn eigen staf samengesteld. Natuurlijk maak je dan ook wel eens de verkeerde keuze. Dat is mijn verantwoordelijkheid om dat op te lossen. Simpel, ben je niet committed dan ga je er gewoon uit.'

OVER HET SELECTEREN VAN DE SPELERSGROEP

'Ik zou grotendeels werken met eerder geselecteerde spelers. Ik zou daar niet direct veel in veranderen. Hoogstens een aantal spelers toevoegen, de groep dus groter maken. Maar ik ga nog niet snijden in de selectie. Dat doe ik pas als ik ze zelf op het veld heb meegemaakt. Ik wil mijn eigen keuzes maken. Ik wil zelf zien of spelers kwaliteiten hebben die ik zoek in een team. Ik ga niet op voorhand aannames doen. Ik wil het zelf ervaren. Ik zorg dat er een aantal momenten zijn dat ik die groep bij elkaar heb. Ik weet per positie hoe ik vind dat die positie ingevuld moet worden.

Reorganiseren is veranderingen toepassen. Maar wel op basis van mijn eigen waarnemingen en feiten. Ik wil zelf verantwoordelijk gemaakt worden voor dat team. Een ander neemt voor mij geen beslissingen. Ook als een grote speler zijn kont tegen de krib heeft gegooid, dan nodig ik die toch eerst uit. Als dat bij mij ook zo blijkt te zijn, dan neem ik daar ook zelf de beslissing over.

Een veilige omgeving creëren voor spelers is erg belangrijk. Het betekent dat je iets moet omlijnen in een territorium dat van die spelers is. Bij ons mochten de mensen best de kleedkamer binnenlopen. Alleen bij een bepaalde tijd voor een wedstrijd moet iedereen er uit. Dan is het alleen voor de spelers. Een veilige omgeving creëren door afspraken te maken over de normen en waarden die je in de binnenwereld hanteert. Als er wat gebeurt, blijft het in de binnenwereld. Dat is de belangrijkste regel. Doorbreek je dat, dan heb je een groot probleem.

Als je weet dat social media bij de nieuwe generatie horen, dan moet je daar niet tegen vechten. Organiseer het op een manier zoals je dat zelf graag ziet. Bijvoorbeeld de regels over Twitter. Je mag alles tweeten wat je wil zolang het over jezelf gaat. Gaat het over een ander, dan is het positief. Klaar. Alles wat je doet dat aanstoot geeft aan een ander kan niet.

De regels gaan niet over het aantal uur dat je per dag aan social media besteedt. Daar geven wij veel ruimte in. Je conformeert je aan wat er in de groep leeft. Daarnaast ben je mens met allerlei verschillende belevingen. Iedere speler zit anders in elkaar. Wij doen ook niet alles de hele dag met de selectie. Geen strandwandelingen. Je kan per dag grotendeels je eigen tijd invullen. Tot het moment van de voorbereiding van de wedstrijd. Dan ga je naar het veld toe, dan begint het. Punt. Dan conformeer je je volledig aan de kleedkamer.'

OVER DE FACILITEITEN

De spelers zijn van de club, die betaalt hen. Dus ik zie eigenlijk meer dat wij het verlengstuk zijn op bepaalde vlakken van die organisaties. Wij hebben werpers die een ander pitchersprogramma hebben dan andere organisaties. Op het moment dat jij als bondscoach die speler krijgt, dan is het belangrijk dat die organisaties het vertrouwen hebben dat jij daar op een zorgvuldige manier mee omgaat.

Wij besteden veel aandacht aan de relatie met de clubs van de spelers. Het contact met de club wordt niet onderhouden door de hoofdcoach van het Nederlands team, want dat is altijd een voorbijganger. Wij hebben het zo georganiseerd dat er twee relaties zijn: coach en speler, technisch directeur met de club.

Een van onze krachten is dat spelers heel graag voor het Nederlands team spelen. Spelers hebben altijd nog zelf de keuze of ze willen spelen voor het Nederlands team. Ze willen echt graag met elkaar presteren en wij willen dat in stand houden. Met de club praten we over de ontwikkeling van de spelers en hoe we daar met het Nederlands team aan kunnen bijdragen.

Bij de start besteden we maar beperkt tijd aan de doelstellingen. Ik geef het maar één keer aan. We willen de WBC van 2017 winnen. Oké, boem, iedereen weet dat we daar naartoe willen. Vervolgens gaat het alleen nog maar over het pad om dat te bereiken. En ieders persoonlijke bijdrage om dat te realiseren.

Als we ze bij elkaar hebben gaan we aan de hand van concrete voorbeelden laten zien hoe we gaan spelen. Voor ons is de teamtactiek het belangrijkst. Daar willen wij de beste in zijn. Fundamenteel. Daar trainen we heel veel op. Staat de ene werper op de heuvel, dan is een spelsituatie al anders dan wanneer er een andere werper staat. De afhankelijkheid van elkaar is zo belangrijk dat iedereen van elkaar weet wie wat kan.

In elke training zit een blok waarin we dat trainen. In het honkbal speel je 162 wedstrijden in 180 dagen! Dus in de Spring Training, de voorbereiding van het seizoen, oefen je dat heel veel. Vervolgens speel je heel veel wedstrijden. Kun je nog wel een beetje schaven, maar heb je geen trainingen meer. Niet meer als team.

Bij de selectie van mijn team werk ik veel met profielen. Omdat ik weet: mijn derde honkman moet dit kunnen, korte stop moet dat kunnen. En dat vul ik in. Aanvallend idem dito. Daar komt dus een team uit. Ook m'n bankspelers hebben allemaal een functie. Dat kan een specialist zijn die laat in de wedstrijd het verschil moet maken. Dat kan ook een catcher zijn die verdedigend beter is, maar aanvallend minder. Iedereen heeft zo z'n functie.

Er zit geen speler in de selectie die niet een bepaald profiel heeft waarvan we weten dat we dat op een moment kunnen inpassen.

Ik begin altijd het seizoen met een grotere groep, zo'n veertig spelers. Daar laten we jongens van afvallen. Vijftien die ieder jaar afvallen, maar die je wel zelf hebt zien spelen. Ik wil veel concurrentie in het begin hebben. Er zijn ook coaches die kiezen voor veiligheid en werken met een vaste groep. Daar gaan ze mee aan de slag. Ik geloof daar niet in. Veiligheid creëert een speler door te presteren.

Bij een eindtoernooi selecteer ik op kwaliteit. Als ik een WK in ga, kan het niet zo zijn dat 25 of 30 procent van mijn team geselecteerd is om ervaring op te doen. Die keuze zou ik nooit maken. Bij ons in een groep van 24 spelers zouden dat er hoogstens drie kunnen zijn. Een werper, een positiespeler, of een derde catcher. De rest is geselecteerd op kwaliteit. Als er iets gebeurt in de wedstrijd wil ik de beste in kunnen zetten, niet de makkelijkste of de jongste.

Natuurlijk maak je van tevoren afspraken met de spelers. Als een grote meneer een reserverol krijgt en hij zegt dat hij zich committeert aan jouw beslissingen, dan zou ik hem graag meenemen. Als je eerste speler geblesseerd raakt, dan moet je je tweede speler kunnen inzetten. En niet je vierde speler omdat je tweede en derde speler potentiële risico's voor de groep zijn. Daar spreek je van tevoren over. Commitment.'

OVER HET BENOEMEN EN HET OMGAAN MET DE STERK-HOUDERS VAN EEN TEAM

'De regels, normen en waarden die je hebt gesteld, gelden voor iedereen. Maar spelers die veel betekenen voor je team kan je op een iets andere manier benaderen dan spelers die er net bij komen. Die vraag je hun mening over zaken. Daarvan is ook heel belangrijk dat die zich committeren aan je visie. Dat zijn de informele leiders in die kleedkamer. Trek jij de deur dicht, dan gebeurt er nog van alles en nog wat. Heb je dan spelers met veel status die zich niet conformeren aan je denkbeelden, dan moet je daar afscheid van nemen. Want dan gaat het fout.

De omgang met de sterkhouders gaat heel ontspannen. Ik ben niet iemand van: dán moet ik met de sterkhouders praten, dan moet hij dit en dan dat. Maar als ik een speler heb in het Nederlands team die tien jaar in de MLB heeft gespeeld en acht Gold Gloves heeft gewonnen, dan zou het een beetje raar zijn als we niet zouden vragen hoe hij het ziet. Een coach probeert altijd door de ogen van een speler situaties te beoordelen. Maar die speler heeft altijd nog de beste invalshoek. Dus als jij mensen in je team hebt die het spel goed doorhebben, dan moet je daar naar vragen.

Je kunt geen getal op het aantal sterkhouders in een team zetten. Het kunnen er zeven, acht of maar twee zijn. Ik vind het altijd gevaarlijk als je zegt: "Ik heb vier dragende spelers." Nummer vijf is het eigenlijk ook, maar ik heb een getal neergezet waardoor nummer vijf zich miskend voelt. Want die ziet geen verschil tussen de andere vier en hem.

Sterkhouders maak je niet bekend in het team. Sterker nog, wij hebben vaak niet eens een aanvoerder. Het laatste WBC hadden wij geen captain. Maar we hadden wel ongeveer zeven spelers die belangrijk waren voor het team.'

OVER DE KRACHT VAN DE ANALYSES OM PRESTATIES VAN HET TEAM TE VERBETEREN

'Wij evalueren de laatste wedstrijd. Statistieken, beelden. Eerst met de staf, waarbij ook iedereen de mogelijkheid krijgt zijn eigen interpretatie op prestaties aan te brengen. Daar sluit je de wedstrijd mee af. Het kan zijn dat je met individuele spelers een aantal punten bespreekt. Bij honkbal is de afhankelijkheid van spelers ten opzichte van elkaar heel anders dan bij voetbal. We hebben heel veel vaste stramienen.

Bij ons is het persoonlijker gericht. Als we naar de wedstrijd toe gaan, weten we wie de werper is. We kennen hun statistieken, ook weer met de beelden. We geven de slagmensen de mogelijkheid die te bekijken. De een vindt dat heel prettig, de ander heeft dat liever niet. Daar zijn ze vrij in, hoe ver ze daar in gaan. Aan de andere kant: het verdedigen van de ruimtes in het veld, dat is wel wat het hele team aangaat. Hoe moet iedereen in het buitenveld spelen? Dat is speler-afhankelijk, niet tegenstander-afhankelijk. Iedere speler van de tegenpartij, daarvan weten wij welke ballen hij graag slaat. Welke zone hij graag slaat. Welke zone hij de ballen slaat in het veld. Met de werpers nemen we alle slagmensen door, met de slagmensen alle werpers van de tegenpartij en vervolgens kijken we van alle slagmensen van de tegenstander hoe we die verdedigen in het veld. Dat gaat dus ver.

In het seizoen hebben we geen mogelijkheid om te trainen. Wij spelen wedstrijden en daar zit geen dag tussen. Na de wedstrijd evalueren we direct die wedstrijd. De volgende ochtend krijg ik de rapporten van de aankomende tegenstander. De videoanalyses liggen klaar, die bekijk ik na het ontbijt, samen met de statistieken. En dan gaan we naar de spelers toe, na de lunch.

Vervolgens ga je al weer naar de wedstrijd. De beelden nemen we mee naar de kleedkamer. We hebben alles uitgeprint. Ook in de dug-out hangt hoe we iedereen bespelen. De coach heeft de verantwoordelijkheid bij de binnenvelders te kijken of het klopt wat we hebben afgesproken. Dan hebben we altijd weer contact tussen de catcher en de dug-out. Als we bepaalde ballen willen gooien geven we dat aan door een seinenreeks. We hebben constant de mogelijkheid interventies te doen.

Tijdens de wedstrijd zijn we continu bezig om ons beeld van de tegenstander te matchen met wat er in het veld gebeurt. Tussen de innings door komt de ploeg in de dug-out. Dat zijn perfecte mogelijkheden om het strijdplan aan te scherpen. De videoanalisten zitten al weer bij de volgende tegenstander. Ik heb alles in mijn hoofd zitten en maak geen gebruik van video-beelden in de dug-out. Mijn eigen waarnemingen gecombineerd met de statistieken zijn het belangrijkst, daar baseer ik de interventies op.

Als ik het idee heb dat een honkloper een honk gaat stelen, kan ik daar direct een tactiek op uitstippelen om dat te voorkomen. Ik hoef niet te wachten totdat ze in de dug-out zijn, want dat is te laat. De coach kan tijdens de wedstrijd niets meer doen? Onzin! Dat is een keuze. Als je dat wil, kan dat altijd. Ook in het voetbal zou je met tekens kunnen werken. Dat spreek je af met individuele spelers.

Bij ons is iedere situatie een dood spelmoment. Daarin positioneer je jezelf. Ik kan me voorstellen dat bij een standaardsituatie in het voetbal een speler richting de dug-out kijkt. Als coach of als assistent heb je vaak meer overzicht over het gehele veld. De keeper staat helemaal verkeerd bijvoorbeeld. De muur staat verkeerd. Niemand op de 16. Daar kan je een teken voor hebben. Een 1 en 6. Zestien. De speler die daar in het strafschopgebied staat weet dat er niemand op de 16 staat.

Wij doen veel met tekens. Constant. Waarom in het voetbal niet? Het past nog niet in de cultuur van het voetbal. Maar ik ben niet zo geïnteresseerd in wat standaard is. Wij willen altijd een stapje verder zijn dan de rest. Daar zijn wij hier mee bezig door onder andere samen te werken met universiteiten. We krijgen een nieuw complex met allerlei vernieuwingen. Straks hebben we een analysesysteem met vijf camera's, dat hebben ze in de MLB niet eens.

Een ander voorbeeld is dat we met een universiteit bezig zijn om een model te ontwikkelen zodat we spelers in Nederland kunnen vergelijken met spelers die in de VS spelen. Aan de hand van allerlei wegingsfactoren. Hoe vergelijk ik Janmaat met een lagere weerstand met Van der Wiel die een hogere weerstand in Frankrijk ondervindt? Ik wil ze kunnen vergelijken, er moet een cijfer uitrollen.

We zijn heel ver met ooganalyses. We weten wetenschappelijk dat als je het eerste deel van de balvlucht niet ziet, de kans van slagen al minder dan de helft wordt. Dus kijkgedrag is heel belangrijk bij ons. Daar passen we onze programma's op aan. Altijd op zoek naar verbeteringen. Ik wil weten wat de waarheid is. Maar de waarheid vinden is hard werken. Het is weten wat belangrijk is, dat analyseren, daar gegevens van krijgen en vervolgens met feiten aantonen wat de waarheid is.

Wij hebben nu bijvoorbeeld kinderen meer getraind op de grondvormen van bewegen. Vanuit de filosofie dat als je geen atletisch vermogen hebt, je de techniek niet perfect kunt uitvoeren. Dat zijn we gaan doen en al onze werpers zijn tussen de 8 en 10 mijl harder gaan gooien. Door gewoon het verbeteren van bewegen. Heel erg op de man gericht. We hebben de elf belangrijkste grondvormen van bewegen genomen en die verbeterd. Neem bijvoorbeeld de squat. Kun je als catcher niet goed squatten, dan kun je ook je hand niet op de goede positie houden. Werken aan de oorzaken, niet aan de gevolgen. Dat maakt spelers beter.

Het profiel van voetbalcoaches gaat drastisch veranderen. Als er nu al een profiel bestaat. Dat was in honkbal precies hetzelfde. De oude lichting scouts selecteerde gekscherend of 'een gozer een goede kop heeft'. En je hebt de nieuwe scouts. Die zeggen dat we honderd jaar verkeerde statistieken hebben bijgehouden. Het verhaal van Billy Bean is niet alleen een mooi verhaal voor het honkbal. Het geldt voor elke sport.

Wij zijn nu zover dat de slagbeweging geheel geanalyseerd is. Voor elke fase van de slagbeweging hebben we specifieke oefeningen om die te verbeteren. Maar we weten ook dat als je de eerste drie fases goed doet, de volgende acht fases ook goed gaan. Dus richt je je eerst op het perfect kunnen van de eerste drie fases. Dat geldt natuurlijk voor voetbal ook.'

12. De spiegel van Joop Alberda

In de voetbalwereld mag Van Gaal dan wel vooruitstrevend zijn, maar hoe kijken zijn collega-topcoaches daartegenaan? We spraken vijf topcoaches die Van Gaal een spiegel voorhouden: oud-volleybalcoach Joop Alberda over zijn persoonlijke visie en zijn omgang met staf, spelersgroep, sterkhouders en strategie.

'Wat is de houding van je spelers ten opzichte van de tegenstander? Staat er een team of niet? Dat is niet meetbaar, maar wel zichtbaar. Als Ajax speelt, staat er altijd een team. Maar hoe staat dat team ten opzichte van de tegenstander? Is het stadion ook van invloed? Is het respect of is het ontzag hoog?'

Het is de opening van Joop Alberda, als coach winnaar van olympisch volleybalgoud. De statistieken van de geschiedenis bepalen het imago van vandaag.

'Stel: wij spelen tegen Italië. Dat presteert al jaren relatief slecht. Dan hebben we toch nog ontzag voor ze omdat ze vroeger de beste competitie hadden. Je moet dus oppassen dat je niet tegen het verleden speelt in plaats van tegen de realiteit. Dat vind ik in voetbal, of sport in het algemeen, een probleem. De statistieken van de geschiedenis bepalen het imago van vandaag. Terwijl uit die geschiedenis niemand in het veld staat. AC Milan is een kwetsbare ploeg, maar blijft sterk vanwege die oude naam en faam.

Als coach kan je dat beïnvloeden en transparant maken voor het team. Dat heb ik eens gedaan toen wij altijd verloren van Italië. Als staf hadden we het gevoel dat dat kwam door het ontzag voor Italië. We werden in het beste hotel gelegd, met de beste bedden, zodat geen vijandbeeld van ons naar hen zou kunnen ontstaan. Wij gedroegen ons ook altijd collegiaal ten opzichte van de Italianen. Dat gedrag moest kantelen. Meer in de richting van: dit is onze tijdelijke vijand waar wij respect voor hebben, maar geen ontzag meer.

Als je tegen een groot sportland speelt, speel je dan ook tegen een heel land? Of staan er elf "naakte" spelers op het veld, die vanuit een gedegen analyse helemaal niet zo fantastisch zijn? Dan gaat het om de lichaamstaal en mentale attitude naar de tegenstander. Dat zit deels in een selectie en dat heb je niet altijd in de hand. Als bondscoach heb je niet de keuze uit 16 miljoen Nederlanders. Je hebt de keuze uit circa 16 spelers. Ga je naar speler 17, 18 en 19, dan weet je dat je concessies doet. Van een aantal in die selectie wil je wel profijt hebben, maar geen last.

Als je als coach uiteindelijk kampioenschappen wil winnen, is het credo "simplify the game". Terugbrengen naar – ook voor jou – hapklare brokken. Dus niet: ik heb twintig wissels of wisselvarianten. Nee, je hebt er gewoon één, twee, drie of vier en daar doe je het mee. Daarvoor ben ik toen met een assistent een week lang naar alle toernooien gegaan. Elke dag hebben we wedstrijden bekeken en we zijn alleen bezig geweest met simplificeren. Wat is onze visie? Wat kan iemand heel goed? Daar focussen we op. We spelen dit systeem en *that's it.*

De waarde van analyses is ongelooflijk krachtig. Maar nog steeds niet alles. Wij waren in 1996 op zoek naar de laatste vijf procent. Dat blijkt achteraf veel meer te zijn. Toentertijd waren wij veel tijd kwijt met het analyseren en in kaart brengen van de prestaties. Omdat de computers nog niet zo ver waren, ging dat allemaal niet zo snel. Zat je met videorecorders een stukje te draaien en te plakken. Monnikenwerk. Van de chaos maakte je zelf structuur. Dat doet de computer nu voor je. Klaar. Het staat ogenblikkelijk online en is direct na de wedstrijd beschikbaar. Daar win je heel veel mee. Al verlies je misschien ook iets van de vaardigheid van wat er gebeurt in de structuur vlak voor de chaos.

Als je jezelf en je tegenstander niet analyseert, dan is de wedstrijduitkomst toeval. Dan heb je aantoonbaar heel veel laten liggen. Dan moet je jezelf na afloop afvragen of je recht van spreken hebt. Je hebt er gewoon niet alles aan gedaan. Is het resultaat dan niet goed, dan komt dat op jouw conto. Je hebt als coach in moderne tijd gefaald.'

OVER HET SAMENSTELLEN VAN DE SPELERSGROEP

'Je start altijd met de kerngroep. Bij voetbal is dat de as van het spel, net zoals je bij een bedrijf de as van een organisatie hebt. Is die goed bemand, dan kun je er aan de zijkant van alles aanhangen, maar dan blijft het geheel wel overeind staan. Dus Van der Meulen en Blangé waren voor mij cruciale spelers in de as. Kan ik iemand vinden die het leuk vindt om de rommel op te ruimen? Is de as heel goed en je kunt daar op vertrouwen – er zit routine in, vaardigheid, volwassenheid – dan kun je aan je team bouwen met mensen die ook nog eens het voordeel hebben dat ze jong zijn en aangenaam kunnen verrassen. Spelers met veel groeipotentie.

Je kiest in een team – in een range van 20 tot 32 – altijd voor hiërarchie. Die senioriteit in het team komt door het aantal interlands en mensen die de rugzak op een andere manier gevuld hebben dan anderen. Als iedereen dezelfde rugzak heeft, dan is er ook geen onderscheid des persoons. Dat zie je nu in de Nederlandse competitie. Veel gelijkwaardigheid. Zelfde leeftijd. Geen hiërarchie, geen leiders. Iedereen vraagt, nee smeekt, om leiderschap (ervaring).

In je selectie kan je de nummers 7 tot en met 12 wisselen. Die zetten het systeem op groen, noem ik dat. Je hebt gewoon een aantal basisspelers en de speler die daar achteraan komt en daar ook kan spelen, die zet die functie – spelverdeler, aanvaller, blokkeerder – op groen.

Als een speler niet onvoorwaardelijk presteert voor het team heb je een probleem. Dat probleem moet je oplossen. Liefst zo vroeg mogelijk. Dat is een duivels dilemma. Daar zit coachen nu net in. Neem ik hem mee, is hij alleen maar geschikt als hij speelt? Ongeschikt als hij niet speelt. Dat is een aanname, want je weet nooit hoe mensen zich uiteindelijk gedragen. Die aannames probeer je vooraf uit te testen. Hoe zou hij reageren als hij op de bank moet plaatsnemen? Hoe zou hij reageren als hij nummer 12 wordt?

Uiteindelijk weet je het als coach niet precies. Ik maak een inschatting op basis van gesprekken en gedrag op het veld.

Want uiteindelijk coachen wij de buitenkant van mensen. We zien niet wat er aan de binnenkant gebeurt. We zien alleen wat er geuit wordt. Daarop anticiperen we, of daar reageren we op. Wat is dan onvoorwaardelijk? Een hand geven aan je opvolger, als je gewisseld wordt. Aan de andere kant mogen spelers best boos zijn. Zijn ze niet boos als ze gewisseld worden, dan klopt er ook iets niet. We vragen eigenlijk iets onmenselijks van sporters, die toch op basis van gevoel en emotie die wedstrijd beleven. Om "cool" en "collected" te zijn in een situatie die "not cool" en "not collected" is. Dat is een rare vraagstelling. Dat kan bijna niet.

Het hangt natuurlijk ook af van de levensfase waarin de speler zich bevindt. Als een speler jonger en onvolwassener is, beheerst hij nog niet alle skills. Technisch kunnen ze alles. Maar aan de maturity-kant mist een jonge speler soms nogal wat. Kan hij dat bijleren?'

OVER DE DOELSTELLINGEN

'Stel je voor dat ik de finale wil halen. Dan is de halve finale de finale geworden. Als de tegenstander dan slecht is, kun je er al geen gebruik meer van maken. Omdat je de opportunity niet in je hoofd hebt. Dat doen Amerikanen standaard. Zij gaan er vanuit dat zij beter zijn dan de tegenstander. Als de tegenstander zwakker is, slaan ze direct toe. Wij gaan eerst Smart-doelstellingen opstellen, wel of niet realistisch. Houd toch op! Interesseert mij het nou of het realistisch is? Als we realistisch zijn dan halen we geen goud op de sprint. Dromen we, dan halen we dat wel en laten we minstens de kans open.

Wij speelden op de Olympische Spelen onze beste wedstrijd tegen Rusland, in de halve finale. Het was een onwaarschijnlijke wedstrijd. Maar het is bijna ongemerkt voorbijgegaan. Het is onderdeel van de reis. Nog een etappe. We zijn er nog niet. De volgende wedstrijd draait het om. Als coach kan je daarin veel bijdragen. Maar als het team dat zelf al uitdraagt, denk ik dat het beste is dat je er met je handen vanaf blijft. Die keuze heb je namelijk ook.

Mijn spelers zaten toen hoger op de as van volwassenheid. Veel hoger. Wat is het verschil tussen jou en de olympisch kampioen? Geef het maar aan. Cijfers en getallen. Op de as van volwassenheid: hoe ga je met de coach om? Met de experts? Met je dagelijks leven? Hoe reageer je op tegenslagen? Maak vervolgens ook bespreekbaar waar de winst ligt. Uitgaan van de kracht van het team en van de negen een tien maken. In plaats van te zeggen: ik heb een systeem, dat wil ik spelen en ik kijk wel of iedereen daar in past.

Ik heb dat meegemaakt in het Russische voetbal. Bij een nationaal team is bijna geen tijd om voor te bereiden: je vliegt in, doet de warming-up. De volgende dag mag je een uur in het stadion trainen en de dag daarop speel je een wedstrijd. De dag daarna vlieg je naar huis en terug naar de club. Het accent ligt, zoals de Italianen vaak doen, niet op arbeid, maar op rust, fit worden, ook mentaal.'

OVER HET OMGAAN MET DE STERKHOUDERS

'Ik sprak zowel één op één als in de groep met mijn sterkhouders. Het hangt toch een beetje van de geschiedenis van je voorganger af. Arie Selinger (mijn voorganger) had de sterke neiging heel lang te praten met die jongens. Was ook nodig, want ze stonden aan het begin van hun carrière. Zelfs toen hadden ze nog het gevoel dat het lange besprekingen waren. Terwijl we het bijna altijd tot 25 minuten reduceerden, omdat die jongens zich toch niet zo lang konden concentreren.

Soms wil je ook meer kwijt aan een groep. Een deel mentaal, een deel statistiek en een deel beelden. Dat zijn ook de ontwikkelingen in de sport. De moderne sport en technologie bieden ongekende mogelijkheden. Toch zou ik weer ontelbare malen op zoek gaan naar de juiste beslissing. Helaas is de uitkomst niet altijd in overeenstemming met die beslissing. Nu zouden de keuzemomenten beter zijn. Omdat ik meer tools heb over de typologie van mensen, de wetenschappelijke inbedding van psychologie, de fysio, et cetera.'

VAN ANALYSE NAAR VERBETERDE PRESTATIES OP HET VELD

'Ik zorg dat ik eerst de bepalende KPI's boven tafel heb. Waar gaat deze sport over? Bij volleybal is het aanvallen: serveren en passen. Die komen elke keer mondjesmaat terug. Heel langzaam ga ik ook de tegenstander er af en toe wat in verweven. Dat komt dan elke dag een klein beetje terug. Wij trainen natuurlijk wat langer dan voetballers. Drie uur trainen (gemiddeld) is wat anders dan anderhalf uur. Dus wij lieten wel, zonder dat we het benoemden, kleine stukjes uit het spel van de tegenstander terugkomen. In de training. Nee, niet middels een sessie of bespreking.

Pas in de eindfase, als het echt nodig was, liet ik in een bepaalde opstelling, bepaalde match-up, de tegenstander op een bepaalde manier aanvallen, via bepaalde posities. Het ene team kreeg dan de opdracht Rusland, Cuba of Japan te spelen. Dat kan gewoon. Alleen wij doen dat zo vaak, met dusdanig veel herhalingen, dat die dingen er op een gegeven moment ook wel in slijpen. Wij stoppen het spel heel vaak als het niet goed gaat en herhalen het weer. Stoppen, herhalen. Stoppen, herhalen.

Eigenlijk moet je nu gewoon direct online feedback geven met een groot scherm erachter. Laat het direct zien. Dat is de beste directe feedback die je kunt geven. Noem het maar een Mission Control. Alle feedback die te lang duurt heeft geen enkele relevantie meer. Een functioneringsgesprek is toch een tool uit de vorige eeuw. Daar kom je er tegenwoordig niet meer mee. Waarom zou je iets van een half jaar geleden nog met elkaar bespreken? Wie heeft daar belang bij? De jeugd vraagt dat ook. "Zeg maar direct wat je van me vindt."

Voor de wedstrijd

Dus het voorbereiden van een wedstrijd was meestal het maken van een analyse van de tegenstander op basis van de beschikbare data. Van chaos structuur maken. In welke opstelling zijn wij sterker of zwakker dan de tegenstander? Wat is hun sterkste speler? Ga ik de zwakste schakel bestoken of juist de sterkste? Als de sterkste "breekt", breekt de hele ketting. En dan nog hebben we er geen controle over. Want ik kan iemand wel ergens neerzetten, maar als de coach van de tegenstander besluit anders te starten, dan heb ik alsnog een probleem en moet ik dáár weer op anticiperen. Dus wij zaten vaak met een draaischijf die al die twaalf opstellingen over elkaar heen kon leggen, zodat je snel de consequenties kon zien.

Tijdens de wedstrijd

Wij hadden toentertijd een paar dingen zelf ontwikkeld, ook voor tijdens de wedstrijd. Zo had ik direct de consequenties. Alleen, ik kon het niet meer helemaal doorrekenen met betrekking tot passpercentages, aanvalspercentages en blokpercentages. Bij een bepaalde opstelling bijvoorbeeld moest Ron Zwerver een bepaald rendement halen om succesvol door de wedstrijd heen te komen. Haalde hij dat niet, dan kon je een seintje krijgen van een coach decision support system dat het beter was hem te wisselen. Maar hij was wel het boegbeeld van het team. Er zijn nog meer beweegredenen bij je opstelling.

Lessons learned

Probeer dus zo dicht mogelijk na de wedstrijd kort te evalueren. Verwerk dat in de trainingen en werk met de verbeterpunten naar de volgende wedstrijd. Dan de volgende wedstrijd neerzetten. In de training ging ik langzamerhand werken naar patronen. Plus: het eerste half uur is altijd techniek, techniek, techniek. Onze filosofie was eerst gericht om het spel in de ruimte te winnen (grote en sterke atletische spelers). De eerste jaren lukte dat, maar al snel kwamen de tegenstanders dichterbij. Dus hebben we nog een vierde dimensie ontwikkeld: de snelheid van het spel.

De positie van een coach op de bank is eigenlijk de meest beroerde positie die je kunt hebben. Kijk maar eens naar animaties vanuit een speler en de chaos die voor hem ontstaat. Zit je op 10 of 12 meter afstand, dan is het inderdaad helder wie wie moet dekken. Maar vanuit het blikveld van een speler is dat een totaal andere wereld. Vanaf de tribune heb je eigenlijk het beste overzicht.

Eigenlijk absurd dat een coach niet als een American Football-coach permanent op de hoogte gehouden wordt van alles wat er gebeurt. Dat wordt overigens wel steeds beter. Je ziet dat steeds meer assistent-trainers met oortjes in zitten. Maar een technisch hulpmiddel is in voetbal niet mogelijk door regelgeving. Let wel: de 21ste eeuw! Waar verlies je het spel? Kun je de hotspots definieren? Waar verlies ik 'm nou in de strijd? Soms is het maar een kwestie van twee meter dat iemand moet opschuiven.

Wij hadden ook veel aandacht voor de trends en analyses van het wereldspel. Ik kan mijn team wel analyseren. Maar analyseer ik mijn team ook in relatie tot de wereldstandaard? Hoe groot, hoe sterk, hoe fysiek, hoe mentaal? In Nederland moet je én mooi én effectief spelen. Dan pas is het goed. Alleen effectief maar niet mooi krijgt geen prijs. Terwijl het in topsport maar om één ding gaat: winnen. Italianen willen alleen maar effectief spelen. Als het mooi is, is het meegenomen. Maar het gaat alleen om het resultaat.

Gunda Niemann schaatste ook verkeerd. Slechte techniek. Maar ze was wel het snelste. Hoezo is dat dan een slechte techniek? Misschien doen wij het niet helemaal slim. In Nederland besteden we maar weinig aandacht aan de mondiale trends. Ik heb als coach mijn eigen filosofie, daarna kijk ik hoe het wereldspel eruitziet en welke trends en analyses ik daar kan waarnemen.'

OVER HET STELLEN EN BEWAKEN VAN DE REGELS

'De basisprocessen van sport gaan over atleten, coaches, accommodaties, materiaal, voedingen, herstel, transport, huisvesting, mentaal en fysiek. Met de accolade innovatie erachter. Alles kan altijd beter. Ik begin altijd met atleten te interviewen, zodat ik precies weet wat er aan de hand is. Dan leg ik mijn eigen visie daar overheen, waar ik naartoe wil. Ik test ook de cultuur die in het team zit en maak samen met de sporters en coaches gedragsregels. Een code of conduct. Is het programma zoals wij dat willen? Is het waar dat wij positief of neutraal over onszelf en de omgeving communiceren? Of zijn wij kritisch over onszelf en positief/neutraal over de omgeving.

Wat zijn nu eigenlijk de belangrijkste regels? Dat zijn eigenlijk maar een paar regels. Inclusief geen pet op tijdens het eten, telefoon uit, bepaalde kleding aan. Dat levert een imago op: "Hé, daar staat een team." Ze spreken dezelfde taal met elkaar. In die taal heeft volleybal zijn eigen dynamiek: communicatie met handsignalen evenals in baseball.

In regelgeving zit ook een stukje leiderschap. Het gaat over richting geven. Verbinden. Het team verbinden met de bond, met zichzelf en met de samenleving. Daarnaast gaat het over executie, daar gaat het altijd over bij cultuurverandering. Drie elementen: richting, verbinden en executie. Dat zijn de drie belangrijkste elementen voor de coach. Dat probeer ik zo veel mogelijk met de sporters te delen. Wat wil ik bereiken? Vraag eerst aan hen wat de doelstelling is. En leg dan de lat nog een stukje hoger.'

13. De spiegel van Peter Blangé

In de voetbalwereld mag Van Gaal dan wel vooruitstrevend zijn, maar hoe kijken zijn collega-topcoaches daartegenaan? We spraken vijf topcoaches die Van Gaal een spiegel voorhouden: oud-volleybalcoach Peter Blangé over zijn persoonlijke visie en zijn omgang met staf, spelersgroep, sterkhouders en strategie.

'Eigenlijk is je invloed als coach tijdens de wedstrijden maar heel gering, marginaal,' zegt Peter Blangé, voormalig topspeler en topcoach. 'Een goed draaiend team kan je laten spelen; voor een slecht spelend team moet je kunstgrepen gaan uithalen. De vraag is of je daar uiteindelijk mee weg gaat komen. Het werk van de coach moet voornamelijk voor de wedstrijd al gedaan zijn. Als er wat moet worden opgelost, is het vooral het zelfoplossend vermogen van het team dat dat oplost. Of van het individu binnen een team. Als een coach het tijdens de wedstrijd moet gaan oplossen neemt de kans op succes significant af. Dat kan ik niet direct met feiten hard maken, maar kan ik wel uit mijn ervaring onderbouwen. In het volleybal zie je nog wel eens dat een coach met een bord laat zien tijdens de wedstrijd waar de speler moet serveren. Daar kom je misschien best ver mee, maar je gaat nooit winnen. Daar is het niet onderscheidend genoeg voor.'

OVER DE ROL VAN DE STERKHOUDERS

'Ik geloof in een aantal ontwikkelstadia van spelers. Van jeugdig aanstormend talent, gearriveerde jonge speler, ervaren rot, oude routinier, tot aan afbouwende speler die over de top is. Die laatste zou niet meer in het Nederlands elftal moeten staan, tenzij de speler een belangrijke rol speelt in de teamhiërarchie. Een van de kenmerken van een sterk presterend team is de aanwezigheid van een zeer strakke hiërarchie binnen de lijnen. Waarvan zelfs een buitenstaander direct kan aangeven wie de grote man is, wie zijn hulpleider is, et cetera.

In mijn tijd als volleyballer was het wel duidelijk dat het om Ron Zwerver ging of om mij. Omdat wij beiden essentieel waren in de aanwezigheid van het team. In ieder geval om ervoor te zorgen dat de hiërarchie van het team duidelijk was. Wij werden toch wel gezien als de boegbeelden.

Daar spraken we onderling niet over. Dat zijn natuurlijke processen. Ron en ik zijn volstrekt verschillend. Ron als een idealist; de dromer op weg naar goud. En ik de sterke rationalist met een mentaliteit van eerst zien en dan geloven. Als ik mijn ogen sloot droomde ik ook wel, maar ik zag nooit gouden medailles in mijn droom. Ik wilde wel graag erbij horen, beter worden en goed presteren.

Toen we uiteindelijk weer op het hoogste podium stonden, stond Ron naast me. En zei ik tegen hem: 'Nu zie ik hem ook, want ik heb een gouden medaille om mijn nek hangen.' Dat is een verschil in persoonlijkheid en leerstijl, ook waar je je het prettigst bij voelt.

OVER DE ROL VAN ANALYSES OM DE PRESTATIES IN HET VELD TE VERBETEREN

'Ik was meer degene die de kansberekening erop losliet. Het pokeren met alle aanwezige mensen, de tegenstander, met als vraag wat de beste optie op dit moment is. Snelle verwerking van veel informatie in beperkte tijd. In mijn rol van spelverdeler was dat natuurlijk ook wel handig, dat ik die zaken van nature goed kon. Ook in mijn latere coachcarrière ben ik er steeds meer van overtuigd dat als je spelers kunt laten opereren vanuit hun voorkeursstijlen, de kans op succes groter is. Garanties heb je nooit, maar je probeert de kans op succes te vergroten.

Zo was ik als speler ook altijd bezig om te optimaliseren. Een van de redenen om alle combinaties die je kunt spelen met volleybal eruit te gooien, was dat het bijzonder kwetsbaar was. Tegenstanders hoefden slechts in bepaalde lijnen of gebieden te serveren, om dat volledig te elimineren. Waardoor de opties om aan te vallen vervolgens beperkt waren. Daardoor werden we erg voorspelbaar en kon de tegenstander daar zijn voordeel mee doen.

Waar we de meeste progressie mee boekten, was dat we de balsnelheid verhoogd hebben. Hoe simpel kan iets zijn? Het tijdselement was de finishing touch om weer een paar niveaus beter te worden. Terwijl we wisten dat iedereen alleen maar rechte lijnen kon lopen. Maar we deden dat met een balsnelheid die zo hoog lag, dat het voor een tegenstander niet of nauwelijks te volgen was.

Aan de andere kant van het net staan altijd drie spelers te blokkeren. Wij hebben altijd vier en soms vijf aanvallers die we in stelling brengen. Dat is een overload, dat moet je altijd kunnen winnen. In theorie.

We hebben ook sterk de distributie geanalyseerd over de spelers. Welke rol heeft hij? Welke taak heeft hij? En wat is zijn belasting en belastbaarheid? In een aantal verloren finales leerden we dat de belasting van de spelers nogal eens eenzijdig was. Zwerver moest te veel doen. Ook in het begin van de wedstrijd moest hij al veel doen. En hij moest ook de cruciale punten erin slaan. Waarbij hij ook in de zware punten wel eens inhoud tekortkwam. Of dat een tegenstander al te goed ingesteld stond bij de zware punten op de bal naar Zwerver. Hij was immers ook de beste aanvaller. Dan blokkeerden ze hem goed en verloren we de zware punten.

Dat staat natuurlijk los van de keuzen die werden gemaakt. De bal moet ook gescoord worden. Dat leerden we hard in de eerste finales. En we leerden dat de middenaanval, via bijvoorbeeld Bas van de Goor en Henk-Jan Held, structureel 10 procent meer rendement opleverde. Daar konden we dus meer in gaan investeren omdat onder aan de streep een hoger rendement naar voren kwam.

Die spelanalyse gaf mij altijd een leidraad op basis waarvan ik met een zeker risicogehalte toch maar weer de middenaanval probeerde te spelen. En Zwerver dus minder belastte in het begin van de wedstrijd, waardoor we meer ruimte hielden om de langere rally's wel via Zwerver te winnen.

Meer balans en een theoretische benadering, zonder dat het me belemmerde in mijn spel. Tijdens de wedstrijd speelde ik namelijk wel op intuïtie. Maar wel met efficiëntieberekeningen in mijn achterhoofd.

Zelfs op matchpunt tegen in de olympische finale tegen Italië. Het meest cruciale punt in mijn carrière. Ik speelde die bal op dat moment toch weer naar Bas van de Goor. Terwijl bij het punt daarvoor juist hij degene was die de rally verloor. Hij was op dat moment nog maar 21 jaar, de jongste in het team. Hij had altijd het hoogste rendement van alle spelers in het team, dus voor mij was het logisch om die bal weer op hem te spelen. Hoe groot is de kans dat hij na een verloren rally nog een bal gaat missen? Dat gegeven gaf mij de vrijbrief om de bal naar Bas te spelen. Op dat moment is er echt geen coach die jou dat gaat vertellen. Als Alberda dat had gevraagd of gezegd, dan was dat zeker niet tot me doorgedrongen. En het had een escalatie opgeleverd, omdat je onder een dermate hoogspanning staat dat je er niet meer toegankelijk voor bent. Terwijl er wel een time-out was.

OVER DE DOELSTELLINGEN VAN EEN CLUB

In 1990 ben ik met het volleybal naar Italië gegaan. Mijn opbouw van de carrière is dat ik tot mijn 25ste vooral veel heb geïnvesteerd in mijn trainingsopbouw. Door Selinger maakten we zoveel trainingsuren dat we als we wakker werden gemaakt alle ballen blindelings konden spelen. Tot in het onderbewuste ben je getraind. Bewust bekwaam gemaakt. In het buitenland heb ik geleerd dat volleybal een absolute teamsport is. Maar wel gebaseerd op het feit dat iedere speler zijn eigen rol of taak goed uitvoert. Al die specialismen bij elkaar maken een sterk team.

In Nederland heerst nog wel eens de gedachte dat het wijgevoel en de wij er een goed team van maken. In Italië werd je gewoon bij elkaar gezet als goedbetaalde profs. Op je positie behoor je tot de beste van de wereld, dus wij verwachten een goed presterend team. Ze zorgden er wel voor dat als ze een aantal fantastische karakters en wereldspelers bij elkaar zetten, er geen opleidingstrainer aangesteld werd. Wel een people's manager.

Dus moet je inzicht hebben in welke fase je team zit. Is het een opleidingsteam of is het een puur prestatieteam? Bij een prestatieteam is de doelstelling altijd helder: winnen en kampioen worden. Dat is de essentie van topsport. Wat wil je bereiken? Dat is je richting. En in topsport is dat niet: we gaan een aantal volleyballers opleiden. Dan heb je geen bestaansrecht.

Bij de grotere teams waar ik speelde, was er maar één doelstelling: de titel. Dat werd niet eens uitgesproken, dat wist iedereen. Dat was het gevoel, dat was de flow waar iedereen in zat. Wij gingen naar Atlanta en spraken niet uit dat we voor de titel gingen. Maar iedereen wist dat we daar voor de medailles gingen.

In 1990 ben ik naar het buitenland gegaan. In die tijd kon je óf voor het nationale team spelen, óf voor een club. Beide kon niet. Na twee jaar alleen maar voor het Nederlands elftal te hebben gespeeld, was ik zielsongelukkig geworden. Ik miste vooral de ruimte voor persoonlijke ontwikkeling bij Selinger. Hij heeft mij heel veel goeds gebracht. En het heeft ook indirect de gouden medaille opgeleverd, mede dankzij zijn basis. Maar hij was van het principe dat er maar één generaal was. En dat was hij. En de overige van het team waren zijn volgers. En ik ben niet zo'n volger. Ik kan slecht tegen gezag. Ik wil het graag zelf uitvinden.

Die ruimte was er niet. Na het vertrek van Selinger zette Harry Brocking dezelfde filosofie door. De geloofwaardigheid staat dan behoorlijk ter discussie. Ik ben ook een laatbloeier, dus ik kreeg weinig kansen. Na een jaar stopte ik. Ik had behoefte aan vernieuwing. Ik wilde het WK van 1990 nog graag spelen, maar dat werd mij niet gegund.

Na een eerste moeizaam jaar in Italië wonnen we met Parma alles wat we konden winnen. We werden kampioen, wonnen de beker en de Europacup. Vanaf dat moment had ik pas het idee dat ik een goede spelverdeler was. Ik had een Braziliaanse coach daar. Rationeel kreeg ik het idee dat ik het in me had.

Er kwam een lobby op gang om ons terug te halen naar het Nederlands team. Zeker nadat Brocking directe kwalificatie misliep en Selinger teruggehaald werd voor het kwalificatietoernooi. Op het hoogtepunt van de aandacht voor het Nederlandse volleybal. We wonnen de finale. Maar eigenlijk heeft het team dat de kans kreeg om naar de OS van Barcelona te gaan, nooit de kans gekregen om een echt team te worden.

Er waren echt twee kampen. Een kamp met de spelers die de Selinger-filosofie waren trouw gebleven. En de dissidenten, de geldwolven. Spelers die in een professionele, zakelijke setting waren doorontwikkeld. Onder wie ikzelf. Er waren veel problemen in Barcelona, het was ook niet leuk spelen. Het is een wonder dat we daar zilver wonnen. Het zag ernaar uit dat we vroegtijdig zouden stranden. We werden vierde in de poule.

In de kwartfinale speelden we tegen Italië, de nummer 1 van de andere poule. Ondanks dat ik mijn achillespees scheurde, wonnen we wel. In de halve finale wonnen we 3-0 van Cuba. Heel veel euforie, huilende spelers, Zwerver die benadrukte dat we al een medaille hadden gehaald. Indirect werd er eigenlijk zo al aangegeven dat we geen finale meer konden spelen, dus dat was een kansloze missie.

Vier jaar later, met een andere coach, met een ander team. Een team dat op elk EK en WK om de prijzen speelde. Alle spelers waren na de OS van 1992 naar het buitenland gegaan. Zij hadden na veel jaren investeren geleerd om in een andere setting meer individueel te presteren. Onder druk, iedere week, voor een grote mensenmassa, live op televisie in Italië. Zij waren gevormd in prestatieve omgevingen, belangrijk!

Met Joop Alberda kregen we een andere dynamiek met veel verantwoordelijkheid binnen de lijnen. Ik werd nauw betrokken bij de speelwijze. We experimenteerden wel, maar ik had altijd het gevoel dat we er zelf veel invloed op hadden. Alberda had me aanvoerder gemaakt, dat beviel me natuurlijk goed. Ik voelde ook dat ik het vertrouwen dat ik van hem kreeg terug moest betalen. Ik ben ook vaak genoeg buffer geweest tussen de spelersgroep en Alberda. Ik heb een spelersraad opgericht, dus ook buiten de lijnen gepoogd me verdienstelijk te maken. En gespeeld met trots. Daarvoor was ik ook wel trots, maar anders dan wanneer je aanvoerder bent.

Wat veranderde Selinger toen hij terugkwam bij het Nederlands team? De hiërarchie was in die tijd verre van helder. In theorie was die misschien wel helder, maar gevoelsmatig klopte er niets van. De prestaties waren te wisselvallig. Met kwaliteit in de ploeg konden we wel goed spelen, maar niet altijd.

Een ander belangrijk element van een goed presterend team is het hebben van een hoge ondergrens. Dus slecht spelen, maar wel de wedstrijd winnen. Altijd een 7 scoren in een wedstrijd, nooit daar doorheen zakken. Kijk naar het hedendaagse Nederlandse voetbal: hoge pieken, maar ook diepe dalen. En je weet dat een diep dal na de poulefase van het WK uitschakeling betekent.

In 1992 heeft Selinger wel een status quo bereikt tussen de spelers van het Bankrasmodel en de anderen, maar het is nooit een echt team geworden. Ik ben blij dat ik erbij was, maar ik heb wel een vervelende zomer gehad. Positief uitgelegd hebben we daar wel de basis gelegd voor de gouden medaille vier jaar later. We bouwden ervaring op in het hebben van een mooie prestatiecurve. Ook met tegenslag. Maar ook met het te blij zijn na de halve finale.

Het beste voorbeeld was het interview dat Bas van de Goor gaf direct na de gewonnen halve finale tegen Rusland, onze beste wedstrijd van het toernooi. Van de Goor gaf aan blij te zijn met de gewonnen wedstrijd, maar wel te weten waarom we daar gekomen waren. Daarmee gaf hij aan dat voor hem, de jongste van de ploeg, de doelstelling helder was. Tot en met de laatste dag er klaar voor zijn om de finale te winnen. Niet te spelen. Te winnen.

Al die parameters, al die puzzelstukjes kwamen bij elkaar in die ene bal.

Dat betekende overigens niet dat alle neuzen in dezelfde richting stonden. We gingen kil, zakelijk met elkaar om. Er waren kliekjes. Maar we wisten dat we elkaar in het veld nodig hadden.

Ik heb veel gehad aan mijn Italiaanse periode voor de ontwikkeling van mijn speelstrategie. Omdat data-analyse daar een heel belangrijk onderdeel al was van de wedstrijdvoorbereiding. Dat gebeurde met analyseprogramma's. Videoanalyses werden er gemaakt van bepaalde spelers, spelsituaties, roulaties, tegenstanders, ons eigen team. En er waren de cijfers. Rendementen van alle ballen, welke hoek er werd geslagen, met welke snelheid? Hoeveel ballen worden er geblokkeerd, hoeveel ballen gaan er via het blok uit?

Dat geldt voor elke sport, natuurlijk ook voor het voetbal. De funnel van kansberekening van welke afstand en welke hoek je het meest scoort. Ik heb ook geleerd dat er juist balans moet zijn in wat je doet. Speel je te vaak hetzelfde, dan wordt het voorspelbaar en dus kwetsbaar. Uitgaande van de kracht van je team moest je altijd een extra antwoord paraat hebben, om de tegenstander te kunnen verslaan.

Bij voetbal is de waarde van een punt natuurlijk veel hoger dan in het volleybal. Een misser kan fataal zijn en een wedstrijd kosten. Eén actie kan allesbepalend zijn; bij volleybal is het hooguit één punt op het scorebord, terwijl je drie sets moet winnen. Qua mindset ga je daar anders mee om. Alleen op de dying seconds van de wedstrijd is die druk vergelijkbaar. Dan gaat een actie om de wedstrijd, dan kom je in dezelfde context. *Do or die.*

Daar sta je helemaal niet bij stil als je erin zit. Als je langs de kant staat is die beleving heel anders.

Het gevoel staven met feiten was een essentieel onderdeel van het spelletje. Iedereen wist op zijn specifieke functie hoe de teamblokkeringen waren, ook per speler. Hoe moet ik mijn directe speler aanpakken, hoe zetten we de verdediging neer? Dat is basisinformatie. Als speler moet je dat gewoon weten, zeker in de top.

We hebben ook veel kennis en informatie uit de Italiaanse competitie meegenomen. De verschillende spelers die daar speelden, kenden we natuurlijk. Hoe ga je hen bestrijden? Wij lieten onze aanvallers in de rally helemaal vrij. Dus zij konden zelf aangeven hoe ze het wilden hebben. Dat spraken we juist niet van tevoren af, omdat vooral de Italianen dat ook weer analyseerden en probeerden te verstoren.

Voor mij persoonlijk leidt dat af. Uit onderzoeken die later werden uitgevoerd, bleek dat ik erg visueel ben ingesteld. Dus ik kijk naar jou, maar ik zie en interpreteer alles wat in de omgeving nu gebeurt. Anderen zien dat niet of minder.

Naast de analyse van je tegenstander is het ook belangrijk

om een sterkte-zwakteanalyse van je eigen team en spelers te maken. En zelfkennis te hebben waar wel je kracht ligt en waar je zwakte. Voor mij waren dat mijn bewegingssnelheid en mijn verdedigende skills. Ik was er te traag en niet atletisch genoeg voor. En ik vond het niet leuk, dus stimuleert het ook niet.

OVER DE STRATEGIE EN HET OPSTELLEN VAN SPELERS

Als dat niet zou hebben gepast in de spelstrategie die Alberda of Selinger voor ogen had, had het gebotst. En had het uiteindelijk niet geleid tot het ultieme. Een van de krachten van Alberda was om mij vanuit mijn kracht te laten functioneren. Hij heeft me nooit beperkingen opgelegd om mij vrijheden te ontnemen ten faveure van zijn eigen wensen.

Uitgaan van je eigen kracht. Maar wel met als basis de kennis van je tegenstander. Als je een noodbal moet spelen, dan speel je die per definitie aan de kant waar de mindere blokkering staat. En dat moet je in je hoofd hebben zitten, in elke setting. Linksvoor of rechtsvoor, pure kansberekening. Jij bent verantwoordelijk voor het kiezen van de juiste bal met de kennis die je hebt. Minuscule details waar spelers op een bepaald hoog niveau mee kunnen spelen.

Bij mijn eerste EK-finale in Stockholm, in een hal drie keer zo groot als Ahoy, stonden we binnen het uur weer buiten. 0-3. Ik wist niet eens mijn eigen achternaam. Daar moet je nu eenmaal doorheen. Als topsporter hoop je om keer op keer in een finale je kunstje te mogen vertonen.

Ik geloof niet in toevalstreffers. Ik hoop natuurlijk dat het Nederlands elftal ver gaat komen in Brazilië, maar vanuit de filosofie die ik heb uitgelegd is die kans niet zo groot. Kijk naar hun prestatiecurve. Ze hebben een WK-finale gespeeld. Een aantal spelers, niet te veel. Wel de decision makers. Robben en Van Persie laten zien dat ze weer meer leren en het verschil kunnen maken in belangrijke wedstrijden. Maar een belangrijke parameter van het voetbal is de verdediging. Daar hebben we wel een pijnpunt.

Ik geloof ook in continuïteit in de opstelling. Ondanks blessures zou je geraamte van het team altijd in stand moeten blijven. Als er iets misgaat met je sleutelspeler, dan heb je een serieus probleem.

Om finales te kunnen spelen moeten je spelers bijna allemaal wereldtop zijn. In het volleybal is het dan belangrijk om een hele goede spelverdeler te hebben. Daar kan je mindere aanvallers omheen zetten. Als de spelverdeler zo goed is, dan tilt hij de aanvallers naar een hoger niveau. Andersom werkt dat niet. Dan gaat de kwaliteit juist naar beneden: dan wordt de topaanvaller net wat minder.

De as spelverdeler-diagonaal is essentieel, tezamen met een van de twee passers/ lopers. Als die wereldtop zijn, dan ben je er wel.

In de voorbereiding op de Olympische Spelen hadden we een maand ervoor nog de finale van de World League. Een pre-olympische testcase met serieuze tegenstanders. Wedstrijden voldoende. Daarna hadden we een blok van drie weken voor trainingen en oefenwedstrijden. Daarna gingen we al naar de Spelen toe. Een week van tevoren er zijn om te acclimatiseren.

Veel afleiding in het dorp met veel sporters, lange rijen en veiligheidscontroles. Het was juist de kunst om goed te blijven rusten, op tijd trainen en oefenen. Slim zijn om extra trainingstijden te creëren door te oefenen tegen het team dat aansluitend in de sporthal ging trainen. Alberda was daar heel goed in. Selinger minder. Die wilde juist alles geheim houden en niet met andere teams trainen.

Het is absoluut een pre om een ervaren team te hebben met spelers die al een aantal Olympische Spelen hebben meegemaakt. Die weten ook waar de gevaren liggen.'

14. De spiegel van Toon Gerbrands

In de voetbalwereld mag Van Gaal dan wel vooruitstrevend zijn, maar hoe kijken zijn collega-topcoaches daartegenaan? We spraken vijf topcoaches die Van Gaal een spiegel voorhouden: oud-volleybalcoach Toon Gerbrands over zijn persoonlijke visie en zijn omgang met staf, spelersgroep, sterkhouders en strategie.

'Op een gegeven moment heeft de KNVB mij gebeld en geïnformeerd naar Van Gaal, omdat ik vier jaar met hem heb gewerkt bij AZ,' zegt directeur Toon Gerbrands. 'Er was namelijk een principiële keuze die de KNVB moest maken, althans in mijn perceptie: de bestaande problemen oplossen in de groep, of een nieuw pad inslaan. Oftewel, een nieuwe groep neerzetten met een nieuwe coach en met jonge spelers.

Kijk naar de palmares van Van Gaal. Dat is een gigantische lijst met prestaties, altijd behaald in omgevingen waar mensen bereid waren te leren en te ontwikkelen. AZ had nooit de beste spelers, maar had uiteindelijk wel het beste team. En dat is waar je met Van Gaal een grote kans op maakt. Niet de beste speler in het veld in een wedstrijd maar het beste team.

Bij Bayern München had hij na zes weken problemen door slechte resultaten. Toen had ik hem aan de lijn en hij zei: "Als ik nu nog twee keer verlies, dan weet ik niet hoe het afloopt." Dan moet je hem juist laten zitten, want dan is Van Gaal op zijn best. Hij wisselt de keeper, en hij doet wat andere dingetjes. En hij heeft wat gedoe met een Italiaanse spits. Hij stelt alles ter discussie en dan zie je dat hij dat jaar eindigt met de beker, met de landstitel en met de finale Champions League. Met andere woorden: leren en ontwikkelen, dat is Louis van Gaal. Daar moet je hem ook voor hebben, daar is hij de absolute topper in.

Een performance dip in het begin van zijn nieuwe klus maakt hem niet uit. Hij moet alleen een groep hebben die wil werken. Dat is voor hem essentieel. Als dat er niet is, komt hij in de problemen. Dat is natuurlijk ooit een keer gebeurd bij de mislukte WK-kwalificatie. Dat waren wel dezelfde namen, maar dat was een andere ambitie geworden. Als je de interviews leest over de teleurstellingen die hij toen meemaakte, hoe geraakt hij was en hoe emotioneel. Met andere woorden, hij is op zijn best als er veranderingen moeten worden doorgevoerd.

Dat was ook in één zin mijn antwoord aan de KNVB. Geef hem de ruimte om een nieuwe groep neer te zetten. Een nieuwe fase te starten na het oude team, dan heb je de beste aan Van Gaal.

Interessant is dat alles begon bij de analyse van de KNVB. Alle namen zijn toen voorbijgekomen, maar daar ging het helemaal niet over. Het ging over: wat willen we bereiken? Wat is de analyse? De visie en de keuzes, die waren essentieel. Daarna kon de KNVB er pas een naam bij zoeken.

In mijn boek spreek ik over de "performance clock". De groep van Van Marwijk was doorgetikt. De scherpte was er iets af, het was allemaal net iets minder. Iets minder energie, iets minder interactie in de groep, en dat ging dus niet goed. Ze konden niet meer oproepen wat ze wilden. De klok tikt door, Van Marwijk moet eruit, de organisatie gaat op tilt. In mijn systeemdenken zit de belangrijkste fase daarvoor.

Ze besloten dat het anders moest. Er moest meer energie komen en er moest worden ververst. Dan heb je aan Van Gaal de beste. Maar, daar moet je eerlijk in zijn, dan ga je ook risico nemen. Dat zag je ook in die eerste wedstrijden. Hij had heel kort de tijd. Hij was nog een paar dagen naar de Olympische Spelen geweest. Hij was al aangesteld als bondscoach. Ik heb nog twee à drie dagen daar met hem opgetrokken. Ook nog een keer met hem gezeten tijdens een lunch. Toen zag ik al dat hij een plan had. Hij wist wat hij wilde. Hij wist dat er nieuwe energie in die groep moest. Maar hij wist ook dat hij binnen een week aan de bak moest, dus het risico zat in die eerste drie wedstrijden.

Een deel van de problemen kwam voort uit de oude groep. Hij moest dat nog afsluiten met die groep. En dat heeft hij ook letterlijk zo gedaan. Hij heeft ze laten praten; hoofdstuk gesloten, klaar is kees. Hij haalde nieuwe jongens bij de groep. Het grootste risico was alleen die eerste drie wedstrijden. Als je even de wedstrijd tegen Turkije terughaalt. Turkije had kans na kans. Een kwestie van geluk hebben. In het begin heb je een periode waar je met geluk en toeval goed doorheen moet komen. Als je een wedstrijd in die periode verliest, dan gaan de discussies weer gevoerd worden. Dan gaan we weer over de mens praten en niet over de keuzes en het systeem. Van Gaal stelt het team boven het individu. Vervolgens maakt hij een programma hoe hij van A naar B met ze wil komen. Maar het mooie van topcoaches is dat zij direct, dus binnen een dag, werken met nieuwe normen.'

OVER DE SPELERSGROEP

'Die nieuwe normen zijn: Van Gaal heeft spelers nodig die fit zijn. En hij heeft spelers nodig die spelen. Daar loop je natuurlijk ook risico mee. Want wat doe je als je topspeler in één keer niet speelt? Maar hij had erover nagedacht en zei: dit is mijn koers. Vervolgens heeft hij dat in het begin vrij consequent doorgevoerd. Dus als je denkt in termen van systeemdenken: hij heeft nieuwe normen en een nieuwe wereld gecreëerd. Ik kan dat prima volgen, maar je kunt je afvragen: is iemand die niet speelt goed genoeg voor het hoogste niveau?

Van Gaal vindt van niet. Hij had geluk nodig om goed door de eerste wedstrijden heen te komen. Dat leidde ook tot een heel mooi moment wat typerend is. De vorige generatie vond oefenwedstrijden maar niets. Op een gegeven moment zag ik Robben een keer terugkomen in een oefenwedstrijd. Toen mocht hij zaterdags nog niet meedoen, omdat hij nog aan het revalideren was bij Bayern München. Op dinsdag mocht hij toen wel meedoen in een oefenwedstrijd. Hij stond daar als een klein kind. Hij mocht meedoen aan een oefenwedstrijd en hij vond dat fantastisch. Dat is in één moment, in één beeld het nieuwe denken. Die twee jaar ervoor gingen de oefenwedstrijden nergens over. Het waren steeds verplichte nummers tussen de Champions Leaguewedstrijden door. Maar Van Gaal creëerde een sfeer van: wil je een kans maken, dan moet je je dus ook bewijzen in de oefenwedstrijden.

Uit tegen Turkije zei Van Gaal letterlijk tegen me: "Van Gaal-teams verzaken nooit." Ook toen we al waren geplaatst. Als je niet tot de sterkhouders behoort, moet je er elke wedstrijd staan. Dick Advocaat laat bijvoorbeeld een spits warm lopen als hij niet tevreden is over de wedstrijd. De andere tien spelers denken dan natuurlijk ook: dat kan mij ook overkomen.

Wat Van Gaal erg goed doet, in ieder geval vanuit de topsport bekeken, is de binnenwereld en de buitenwereld scheiden. Hij werkt vanaf dag één met nieuwe normen. Het is meteen volkomen helder welke kant hij op wil en wat hij wil bereiken, inclusief heldere afspraken. Alle besprekingen die hij voert, voert hij met de hele groep. De kleedkamer als podium, de deur gaat dicht. Dus als jij te laat komt, dan bespreekt hij dat niet een-op-een, maar met de hele groep. Dat heeft grote voordelen. Negentien mannen luisteren, de normen zijn volkomen helder. Als je er iets van vindt, dan kan je er iets over zeggen. Maar wel binnen die vier muren. Voor de camera gebruikt hij altijd het woord "wij". En het woord "wij" is in de kleedkamer verdwenen. Daar zal hij het individu uit de groep halen.

Dus als hij zegt: we hebben niet zo goed verdedigd. Dan zal hij daarna tegen de verdedigers zeggen: we zouden op twee meter afstand verdedigen. Goed gedaan, goed gedaan, niet goed gedaan. Voor de camera doet hij dat dus niet. In de kleedkamer wel. Want spelers beschermen zichzelf. Dus de verdedigers zullen bij "wij" denken: dat zal niet over mij gaan. Eigenlijk doet hij precies wat een gezin doet. Want in een gezin heb je bepaalde normen en waarden over opvoeding. Dan ga je geen een-op-een-gesprekken voeren op een slaapkamer. Dat doe je aan tafel. In een veilige omgeving, want dat hoort er wel bij. Hij creëert een veilige omgeving. Als een kind zijn speelgoed niet opgeruimd heeft, dan zeg je dat hij ermee gespeeld heeft en het dus op moet ruimen. Wat een topcoach doet, doet een vader in het gezin elke dag. Maar gemiddelde coaches doen dat niet. Dat is wonderlijk.

Hij creëert een veilige omgeving door te zeggen: wat binnenskamers hoort, blijft ook binnenskamers. Zijn veilige omgeving is dat hij uit zijn dak kan gaan in de kleedkamer, dat spelers hun emoties mogen tonen. Maar dat blijft dan binnen. Dat is Van Gaal. Want hij zoekt natuurlijk naar de grens. Topcoaches gaan over de grens. Net als Mourinho vangt hij alle leden van de groep op. Hij beschermt de groep. Dat is ook heel belangrijk. Hij vangt alle ellende op. Hij gaat voor de groep staan. Als er veel kritiek is op het individu Sneijder, dan zal hij ervoor gaan staan. Als een speler van Mourinho ruzie krijgt in Nou Camp, dan gaat Mourinho op de vuist met een andere coach om de aandacht ervan af te leiden dat zijn speler een fout heeft gemaakt. Het wonderlijke van Van Gaal is dat iedereen die met hem gewerkt heeft, met hem wegloopt. Hij houdt altijd de relatie in stand.

Zelfs Koevermans die weg moest, zal in interviews positief zijn over Van Gaal. Van Gaal is oprecht. Je kan aangeven dat je niet kan leven met zijn keuze, dat is prima. Maar hij gaat geen spelletje met je spelen. Hij gaat niet manipuleren, hij is recht voor zijn raap. Soms werkt iets niet in een groep. En wanneer ga je dat dan veranderen? Hij doet dat dan direct. Hij vertelt dan aan de groep dat hij dat altijd zo heeft gedaan, maar dat het nu niet werkt en morgen gaan we het anders doen. De groep zegt dat zij dat allang wisten. Hij verandert het dan binnen het seizoen. Dat betekent niet dat hij inconsequent is. Hij wil een doel bereiken en kan toegeven dat iets niet werkt.

Van Gaal stelt zich heel kwetsbaar op. Alleen, de binnen- en de buitenwereld zijn twee verschillende werelden. Hij weet ook wat het doet met spelers als praatprogramma's hen afbranden. Spelers zijn niet van steen, daar hebben ze last van. En dus probeert hij dat te managen in de binnenwereld. Dat is de paradox van Van Gaal. De buitenwereld bestaat voor de ene helft uit fans en voor de andere helft uit haters. Er zit niks tussen. In de binnenwereld vind je 90 procent sympathisanten. Geen 100 procent, want hij is geen heilige.

Grote directeuren werken niet zoals Van Gaal, want daar zijn ze te benauwd voor. Dit werkt wel in werelden waar je moet presteren. In je gezin moet je blijkbaar ook presteren. Eigenlijk is het te gek voor woorden dat je niet op je werk doet wat je elke dag met je gezin doet. Een topcoach doet dat weer wel.

Van Gaal heeft een serie prestaties neergezet met de beste resultaten ooit. Wat heeft hij bereikt: hij heeft zijn visie neergelegd en hij heeft zijn normen neergezet. Maar zijn grootste kracht komt nog. Onze grootste kans komt nog. Want wat nog komt is vier weken met zijn groep bij elkaar. Teambuilding. Proberen het beste team te creëren. Daar is hij een meester in.

Hij heeft geen keus natuurlijk. Hij had liever zes weken maar die tijd heeft hij niet. Hij heeft de groep namelijk elke dag bij elkaar dan. Als je een groep elke dag bij elkaar hebt, dan bouw je een relatie op. Elke dag deel je wat met elkaar. Je gaat je programma maken en uitleggen hoe je het wil hebben. Én de trainingen zijn zwaarder dan de wedstrijd. Dat gaat daar ook gebeuren, met name qua normen. Er ontsnapt hem niets. Het is onbespreekbaar dat je tijdens de training ook maar één keer wat laat lopen.

Een mooi voorbeeld dat ik meemaakte was met Lens. Van Gaal legde hem uit dat als hij een bal verspeelt, hij er direct achteraan moet gaan. Je bent moe, maar je hoeft maar 5 meter te sprinten. Anders moet je de volle sprint voor 50 meter achter je tegenstander aan en dan haal je het net niet. Dat gaat straks in de Algarve natuurlijk ook gebeuren. Teambuilding is voor hem fysiek, voetbaltechnisch, mentaal. De druk die hij creëert op trainingen is groter dan de druk in een wedstrijd. Niet zozeer om de spelers het moeilijk te maken, maar meer om duidelijk te maken dat als je het in de training kan brengen je het ook in de wedstrijd kan brengen.'

OVER INTERVENTIES TIJDENS DE WEDSTRIJDEN

'Zijn coaching is ook onderscheidend. Hij zit bijna continu alleen maar in de dug-out. Als hij daar uitkomt, dan is er ook iets te melden. Hij gaat niet zomaar even de dug-out uit. Hij is bovendien een oprechte juicher. Dus als er een doelpunt wordt gemaakt, dan kan hij daar enorm van genieten. Ook op trainingen. Als er een wereldgoal wordt gemaakt op een training, dan staat hij als enige te juichen en uit zijn dak te gaan. Dat is de liefhebber Van Gaal.

Tegen Turkije kwam hij bijvoorbeeld drie keer de dug-out uit. Dat typeert Van Gaal. Hij heeft alles goed voorbereid. Alle spelers in het veld weten dat als Van Gaal uit zijn dug-out komt, dan gebeurt er iets. Wat ook heel bijzonder is, en dat kenmerkt ook een topcoach. In de rust zet hij soms wat om en dat heeft altijd effect. Dat is ongelooflijk. Ook bij AZ. Hij zag wat, zette het om in de rust en daarna was het altijd beter. Dat is ook de vakman.

Pak de wedstrijd tegen Turkije er maar bij. Hij zat stoïcijns in de dug-out. Hij schreef wat en praatte met zijn assistenten. Toen kwam hij uit de dug-out om een speler enkele aanwijzingen te geven hoe hij zich beter kon opstellen. Het hele team weet dan dat er iets aan de hand is. Er zijn ook coaches die de hele wedstrijd langs de lijn staan. Er zijn spelers die blij zijn als ze linksback spelen, omdat ze dan ver van de coach af staan. Maar dat is bij Van Gaal niet zo. In de wedstrijd tegen Turkije, in de hectiek van alles wat er gaande was in die wedstrijd, kwam hij drie keer functioneel zijn dug-out uit.

Tegen Portugal deed hij dat ook een keer. Portugal begon net met schoppen en juist op dat moment stoof hij de dug-out uit. Dat was ook het moment dat hij zijn groep moest beschermen. De karatetrap in de Europacup I-finale tegen AC Milan, was ook zo'n moment. Daar beschermde hij zijn groep. Daar gebeurde iets met zijn kinderen, of discipelen. Je moet niet aan zijn groep komen, want dan komt Van Gaal wel zijn dug-out uit. En dat is mooi, want dan is hij even samen met zijn groep en dat is dus een vorm van teambuilding.

Hij kan rustig drie kwartier in zijn dug-out blijven zitten. Dat is bijzonder, dat doet bijna geen enkele andere coach. Advocaat heeft dat bijvoorbeeld niet. Die is ongeduldig, hij kan niet blijven zitten. Co Adriaanse is nog rustiger. Hij stond wel veel, maar zei nooit wat tegen de scheidsrechter. Een echte gentleman. Maar hij stond wel altijd naast zijn dug-out. Als je naast de dug-out gaat staan, dan isoleer je je ook wat van de bank. Moet je maar eens opletten hoeveel Van Gaal met zijn assistenten Blind, Kluivert en Hoek praat. En let maar eens op waar hij altijd zit in de dug-out. Altijd tussen zijn assistenten. Daar is over nage-dacht. Hij zit letterlijk tussen zijn mensen.'

OVER DE STERKHOUDERS

'Er zijn twee interventies die het grote publiek opvallen, name-lijk de spitsendiscussie en de aanvoerderskwestie met Sneijder. De uitkomst van de spitsendiscussie kon van tevoren helemaal niet worden bepaald. De voetballer Van Persie, die kent Van Gaal wel. Met teambuilding gebeurt het volgende. Hij krijgt een groep mensen en met die groep mensen weet Van Gaal niet precies hoe de match gaat worden. Het gaat er voor hem om dat hij een match heeft met een speler. De vraag is of Van Persie begrijpt wat het team nodig heeft. Dat hij begrijpt wat zijn rol is. Vanaf dag één wist Van Gaal dat dus niet helemaal zeker. Hij maakt daar dan een inschatting van en wat belangrijk voor Van Gaal is dat de speler levert wat hij belangrijk vindt. Van Gaal gaat met de groep aan de slag en ze gaan ontdekken of er een match is. De voetballer Van Persie is dus belangrijk, maar veel belangrijker is de mens Van Persie.

En die kende hij nog niet. Een van de weinige spelers met wie hij nog niet had gewerkt. Hij wist nog niet hoe dat zou gaan. Misschien was Van Persie wel arrogant en zou dat gaan botsen, want Van Gaal heeft het team altijd boven het individu staan. Het is een teamsport, het team is altijd belangrijker dan de spe-ler. Tenzij de speler aanhaakt in het teambelang, want dan wordt de speler veel belangrijker dan wie dan ook. Bij Van Persie heeft hij dat moeten uitvinden. Blijkbaar was er heel snel een match. Ik kan me precies voorstellen wat dat is. Er is beeldvorming over Van Gaal. Dat zal Van Persie ook over Van Gaal hebben gehad. Maar de mens Van Gaal kennen veel mensen niet. Die ontmoet je pas als je met hem werkt. Door de beeldvorming zullen spe-lers in eerste instantie wat afwachtend zijn. Maar dan blijkt er een hele warme man achter tevoorschijn te komen.

Met ideeën, met een duidelijke visie en die zonder aanzien des persoons zijn groep samenstelt. Een goed voorbeeld is Sneij-der. Van Gaal denkt na wie hij over twee jaar nodig heeft tijdens het toernooi. Hij maakt voor zichzelf de analyse of Sneijder er nog alles voor doet. Mijn inschatting is dat dat bij Van Gaal minimaal een twijfel is. Bij twijfel zal hij hem ook zo benaderen. Op basis van de normen zal hij de discussie aangaan met Sneijder: fitheid, spelen bij de club, et cetera. Sneijder was met heel veel dingen bezig, behalve met de wetten van de topsport. Van Gaal heeft de wet van de topsport weer teruggebracht. Alle andere activiteiten van Sneijder zijn niet meer interessant.

Wat interessant is aan de groep van Van Marwijk, is dat die geen energie, geen nieuw elan meer had na een periode van vier jaar. Dit is een normaal proces in de topsport. Van Gaal selecteert altijd door. Altijd, dat heeft hij zijn hele carrière gedaan. De KNVB wist bij het aanstellen van Van Gaal dat hij zou gaan doorselecteren. En dat moet ook gewoon. Ik heb zelf ervaring met de volleybalploeg. We wonnen de landstitel, de beker en de supercup. De ploeg bleef in stand, dus ik rekende me al rijk. Maar ik had toen nog niet door dat dat niet zo werkt. De performance clock tikt door. Dat was mijn fout. Met veel moeite verdedigde ik de beker, maar verloor ik de titel en de supercup.

Van Gaal had dat allang door. Doorselecteren als je in groepen energie wilt houden. Het werkt heel simpel. Neem je huidige team en tel daar twee jaar bij op. Kijk naar de opbouw van je groep en zorg voor goede balans tussen de ervaren spelers en de jonge jongens. Bij het volleybal was dat eenvoudig. We hadden altijd twee spelers van het Bankrasmodel, twee topspelers en twee jonge jongens en dat was de olympische ploeg die goud won. Van Gaal weet ook hoe die principes werken.

Dus je hebt spelers uit verschillende generaties nodig. Want de jongeren nemen een hoger niveau mee. Dat vinden we allemaal wel niet, maar ze zijn sneller, behendiger en krachtiger. Ze hebben veel energie. Grote spelers met grote namen zien dat en denken: het zal me niet gebeuren dat een jonge speler me voorbijgaat. Dus je krijgt energie en twijfel in de groep erbij. Uit de groep van Van Marwijk weet je dan dat Strootman in de bloei van zijn leven is. En je weet ook dat Sneijder moet laten zien dat hij honger heeft om te presteren.

Van Gaal roept vaak: "Dit is een echte Van Gaal-speler." Over interventies gesproken. Wat is de betekenis van die uitspraak? De vertrouwensrelatie is dan maximaal. Van Persie en Strootman zijn Van Gaal-spelers. Van hen zegt hij dus eigenlijk: dat zijn mijn mensen. Over vertrouwen gesproken. Dat roept hij over drie à vier spelers. Je geeft dus maximaal vertrouwen in zo'n speler. Je geeft krediet en krijgt het terug. Dat is wat er met Van Persie gebeurd is. Hij wist niet vanaf dag één dat dat een Van Gaal-speler was, maar wel na vier weken.

Van Gaal wil dat spelers onvoorwaardelijk spelen voor het Nederlands elftal. Als spelers voorwaarden gaan stellen om te spelen gaat hij daar niet mee akkoord. Hij heeft dat besproken met zijn groep. Van Persie heeft hij in de eerste wedstrijd op de bank gezet. Als je onvoorwaardelijk bent, dan hoor je een speler dan niet piepen. Als een speler zegt dat hij wel wil komen, maar niet voor de bank stelt hij dus voorwaarden. Van Persie heeft gehandeld uit vertrouwen en heeft zonder morren op de bank plaatsgenomen. Daar is de basis gelegd voor onvoorwaardelijke samenwerking met Van Gaal. De topspeler Van Persie ging zonder voorwaarden op de bank zitten. Onvoorwaardelijk betekent ook dat de spelers alles geven in een oefenwedstrijd. Als je dat niet doet, heb je blijkbaar voorwaarden waaronder je wel wilt presteren. En dat pikt Van Gaal niet.

Een van de normen die Van Gaal neerzette op de eerste dag was dat een speler moet spelen bij zijn club om in aanmerking te komen voor de selectie. Spelers zoals Van der Wiel en Sneijder werden niet geselecteerd omdat ze in een mogelijke transfer zaten ten tijde van de wedstrijden. Van Gaal liep daar een risico. Maar als je daar doorheen wandelt, dan ben je klaar. Dat is met geluk gelukt.

Elke stap die hij heeft genomen heeft hij goed uitgevoerd. Hij is duidelijk geweest, is consequent geweest. Spelers moeten volledig fit zijn, anders doen ze niet mee. Bij AZ viel een speler ooit twee keer in toen een journalist aan hem de vraag stelde of hij volgende week in de basis moest spelen. De speler reageerde daar bevestigend op. Van Gaal maakte dat pas later bespreekbaar in een teamsessie. Hij koppelde terug aan de speler dat er nu altijd druk bestaat, zowel bij het niet opstellen als bij het wel opstellen van de speler in de volgende wedstrijd. De enige reden dat Van Gaal de speler opstelt is als Van Gaal een speler nodig heeft en anders niet. Door het met het hele team te bespreken is het helder dat het niet nog een keer gebeurt.

Onvoorwaardelijk. Dus als een speler in de media gaat roepen dat hij een basisplaats verdient, dan stelt hij daarmee voorwaarden. Dat spanningsveld zag je één keer ontstaan en daar reageert Van Gaal dan ook direct op. In Brazilië zal dat spanningsveld nog veel groter zijn.

Sportieve druk zetten op het team en de spelers is gewenst, mediadruk niet. Op de Olympische Spelen is er onderzoek uitgevoerd hoeveel tijd de atleten per dag besteden aan social media. Bij sporters is dat 3 à 4 uur per dag en dat in een omgeving waar je de ultieme prestatie moet neerzetten. Coaches besteden tussen de 0 en 15 minuten per dag aan social media. In een gesprek met Van Marwijk gaf hij aan dat ze zich daarop hadden verkeken. De spelers volgden alle praatprogramma's over de spitsendiscussies et cetera, en hij sloot zich daarvoor af.

Interessant hoe Van Gaal daarmee om gaat. Tegenwoordig heb je dus in toenemende mate te maken met de buitenwereld. Op welke manier ga je dit deel van de buitenwereld analyseren. Wat ga je met Twitter doen, columns schrijven en praatprogramma's volgen. Het is naïef om daar niets mee te doen, want op internet is alles te volgen en het doet wat met de spelers. Dus ik verwacht dat Van Gaal een strategie om hiermee om te gaan gaat definiëren. Op de trainerscursus hoort dit gewoon een onderwerp te zijn. Hoe ga ik om met social media?

Misschien moet je wel één keer per dag alle items die de spelers hebben gevolgd, bespreekbaar maken. De analyse kan dan door het team van Kees Jansma worden opgesteld. Social media kan je niet meer negeren in deze wereld. Door de uitzending van *Studio Sport* is dat wel bewezen. De spelers knipperden met lichten om te bevestigen dat ze naar de uitzending keken. Van Marwijk wist op dat moment nergens van.

Het interessante van deze groep zijn de nummers 16 tot en met 23. Het gezicht van de groep geeft Van Gaal met deze spelers. Dat zullen jongens zijn die willen. Vier van die spelers spelen geen minuut, dus het heeft geen enkele zin om daar gearriveerde spelers neer te zetten. Zo heeft Van Gaal tot nu toe nog nooit hoeven te kiezen. Als je pikorde maar helder is, dan weet de groep: deze 15 spelers moeten het doen. Hij wil met de nummers 16 tot en met 23 geen gezeur hebben. Dat weet ik honderd procent zeker. Hij wil geen grote groep hebben. Hij wil een relatief kleine groep hebben die hij tevreden houdt. Dan kan hij rustig bijvoorbeeld Siem de Jong een keer inzetten. Want die piept niet en werkt hard. Als je daar te grote namen in zet, pikken die dat niet.

Iedereen maakt zich druk over de eerste 15, maar Van Gaal maakt zich druk over de 16 tot en met 23. Wie verdient het, wie gunt hij het? Maar ook, wie heeft laten zien dat ze geen gezeur in de groep veroorzaken? Dus als een speler te veel vedettegedrag gaat laten zien, dan gaat hij niet mee. Dat wil Van Gaal niet.

De wedstrijd tegen Frankrijk was een belangrijk moment om een groot signaal af te geven over de selectie. Maar in mei en juni kan er nog veel gebeuren met de spelers. Het is een soort escalatieladder. Het start met kleine dingetjes, dat bouwt langzaam op en uiteindelijk leidt het tot de beslissing ja of nee.

In Azië ontnam Van Gaal Sneijder de aanvoerdersband. Dat is de grootste stap die je kunt nemen, dus dat betekent dat er iets volledig mis is. Dat doet hij niet zomaar, dan is er echt iets gebeurd. Want eigenlijk is de aanvoerder het verlengstuk, de vertrouwenspersoon van de coach, een echte Van Gaal-speler. Aan de andere kant is het ook zo dat de aanvoerder voorbeeldgedrag moet vertonen, in zijn filosofie moet passen en er ook moet zijn. Voor zover ik weet heeft hij nog nooit in zijn carrière een aanvoerder gewisseld. Want voor hem is dat de ultieme erkenning van de Van Gaal-speler.

Met uitzondering van de voetbalwereld hebben topsporters een opbouwende carrière. Je begint als wisselspeler, je bent invaller, je mag een keer meedoen en je bent een basisspeler. Vervolgens verlaat je het team. Dat is een normale opbouw van een carrière. Peter Blangé zal als speler nooit op de bank komen te zitten bij het Nederlands team. Dan moet hij weg.

Het is een oplopend lijntje en als je besluit wisselspeler te gaan worden als ervaren speler kan dat dus niet. Daar heb je een bepaalde energie voor nodig. Daarom riep Van Marwijk Seedorf ook niet meer op. Seedorf ga je niet op de bank zetten. Ron Zwerver ook niet, dan moet je gewoon stoppen bij het team. Bij elke sport is dat zo, alleen bij voetbal lijkt dat niet zo te werken. Maar dan begrijp je helemaal niets van het groepsproces, van het teamproces. Want dan zet je de pikorde helemaal onder druk.

Als Van Gaal Van Persie op de bank zou zetten, dan heeft dat een reden. En Van Persie zal dat altijd volgen omdat hij die reden goed begrijpt. Kuijt is het voorbeeld van onvoorwaardelijkheid. Hij werkt altijd hard, kent zijn rol, piept niet. Opvallend is dat niemand in Nederland daar iets over schrijft, want Kuijt is natuurlijk een prachtig mens. Hij kan moeiteloos de rol invullen van de nummers 16 tot en met 23. Hij is bereid te werken voor één minuut spelen, hij is bereid te werken voor vijf minuten spelen en hij is bereid het geld te verzamelen voor de spelerspot.

De eerste 11, 12, 13 is helemaal helder. Dan krijg je een groepje dat goed in moet kunnen vallen. Die wissels heb je in de wedstrijden al een paar keer gezien. Dat zijn er 15/16 bij elkaar en die groep houdt Van Gaal tevreden. Daarna komt er een groep die heel essentieel is voor het teamproces.

Kijk de wedstrijd tegen Turkije maar eens terug en kijk terug naar wat Van Halst daarover zei. Als je goed analyseert zie je dat Sneijder vier goede acties met de bal uitvoerde. Goede pass, goede goal en een afstandsschot. Wat essentieel is, zijn de acties zonder bal. Dat was niet goed genoeg volgens de analyse van Van Halst.

Bestudeer het teamproces maar eens en dan met name de kleinere gebeurtenissen. Wie komt met wie het veld op? Wie juicht er oprecht bij een mooi doelpunt. Er staan grote veranderingen te gebeuren bij het Nederlands elftal; kijk maar eens naar het volkslied. Iedereen zong daar uit volle borst mee. Dat is 100 procent de invloed van Van Gaal. Dat gebeurde onder Van Marwijk niet.

Van Gaal heeft het karakterprofiel ENTJ (extraversion, intuition, thinking, judging). Daar staan al zijn karaktereigenschappen in. Extraverte man; interpretatieve waarnemer (dus vanuit zijn eigen wereld). Hij baseert zijn beslissingen op basis van de feiten. En de J staat voor afronden; hij is duidelijk over dingen. Dat is het leiderschapsprofiel van de groten der aarde. In zijn intuïtieve kant zit ook zijn genialiteit, maar ook zijn valkuil. Van Gaal kan dingen zien die in zijn werkelijkheid kloppen. Waarvan hij het onbegrijpelijk vindt dat jij het niet ziet.

Op die manier creëert hij geniale omzettingen door een linksbuiten op te stellen als linksback. Maar het kan ook zijn valkuil zijn. Daarom heeft hij een staf nodig met mensen die hem daarop wijzen. Hij luistert absoluut naar zijn staf. Hij is slim, hij luistert naar iedereen, en als hij dingen doorvoert dan zal hij het je niet vertellen.

Wedijveren staat altijd op nummer 1. Binnen vijf minuten zal hij je vertellen: jij neemt me serieus en jij niet. Dan gaat hij kijken hoe je daarop reageert. Als je binnen de 5 minuten afhaakt is het ook goed, als je dat doorkomt heb je een wereldgesprek.

Van Gaal is heel innovatief. Hij pakt nieuwe dingen aan en zal zich fantastisch voorbereiden. Hij laat niets aan het toeval over. Alles wat hij onder controle kan hebben, zal hij onder controle hebben. In Australië had ik met Gertjan Verbeek gehoord over slapen. Slaappatronen, slaappillen die niet werken, et cetera. Dat vertelde ik op *BNR Nieuwsradio*. Van Gaal was daar ook aanwezig en hij beantwoordde een vraag hierover met: "Als Gerbrands dat aanraadt, dan ga ik me erin verdiepen." Een dag later opent *Bild* met: Van Gaal controleert wat er tussen de lakens gebeurt. Zo werkt dat dus met de media.

Van Gaal wil het verder onderzoeken in relatie tot adrenaline en het vliegen tussen de speelsteden. Een slaappil werkt dan alleen maar verdovend en dan kom je niet in de juiste slaapintensiteit (diepe slaap versus remslaap). Om dat goed in te kunnen zetten, moet je dus uitzoeken hoe lang een speler gemiddeld slaapt. Uit onderzoek blijkt bijvoorbeeld dat het prima is als je een keer moet plassen gedurende de nacht, maar bij twee keer heb je te veel gedronken.

Van Gaal zal zich er zeker in verdiepen. Hij luistert naar specialisten, hij is een innovatief persoon. Alles wat kan bijdragen aan succes zal hij onderzoeken.

Vanuit volleybal wisten we wel wat het was om veel te reizen en dan toch te presteren. Wij vlogen eerst naar Azië voor een wedstrijd en twee dagen later speelden we in Cuba. Dat was vijftien jaar geleden. Toen al hadden we een systeem met melatonine, dat is een natuurlijke stof die in het bloed zit. Luiken dicht op specifieke tijden, koffie, horloges terugzetten. Van Gaal kennende gaat hij daar wat mee doen. Piloten gebruiken het ook, het is een beproefd concept. Het beïnvloedt namelijk alleen maar het dag/nachtritme (licht en donker). Interessant gaat zijn hoe je in Brazilië het beste herstel faciliteert? Je weet wanneer je adrenaline hebt en hoeveel, je weet wanneer je remslaap hebt en wanneer je diepe slaap is. In Australië is dat allemaal uitgezocht en daar zijn wij in Nederland beginnelingen in.

Als een speler bijvoorbeeld door een baby thuis vier uur heeft geslapen, moet ik hem dan de dag erna dezelfde krachttraining geven, dezelfde trainingsintensiteit? Dat gaat veel verder dan wij nu hier uitvoeren. Met horloges werden de nachtelijke activiteiten bijgehouden en uitgelezen. Een topsporter slaapt een derde deel van zijn leven. Dus als dat deel je niet interesseert, dan laat je een derde deel van de topsport lopen.

15. Het rendement van Van Gaal

Toeval uitsluiten. Alles eraan doen om wereldkampioen te worden. Twee jaar lang volgden we Louis van Gaal en objectiveerden we zijn interventies om de prestaties van zijn team te verbeteren. Daarbij gebruikten we analyses van de prestaties van de spelers en spraken we met talloze sport- en voetbalcoaches. Nu is het tijd voor onze analyse van het rendement van Van Gaal.

Onze analyse start vanzelfsprekend met de doelstelling en de opdrachten die de KNVB meegaf bij de entree van Van Gaal. De belangrijkste doelstelling is het behalen van de halve finales tijdens het aankomende WK. De echte graadmeter is dus pas het WK zelf. Wel kunnen we een tussenmeting doen aan de hand van twee criteria:

DE EINDSTAND IN DE KWALIFICATIEPOULE

De eindstand in poule D van de kwalificatie voor het WK 2014 is:

	Land	Punten	Doelsaldo
1.	Nederland	8 – 22	24 – 4
2.	Hongarije	8 – 14	18 – 12
3.	Turkije	8 – 13	14 – 7
4.	Roemenië	8 – 13	13 – 12
5.	Estland	8 – 7	6 – 16
6.	Andorra	8 – 0	0 – 24

Met een eerste plaats in de poule, slechts 2 verliespunten en een positief doelsaldo van 20 is de prestatie van Van Gaal met het Nederlands elftal goed.

DE STAND OP DE FIFA-RANGLIJST

Een andere belangrijke graadmeter van de prestaties van het Nederlands elftal is de stand op de FIFA-ranglijst. Deze ranglijst wordt met een formule bepaald op basis van de prestaties in alle wedstrijden, dus ook in oefenwedstrijden. De vergelijking van deze ranglijst met als meetpunten de entree van Van Gaal (juli 2012) en de ranglijst na afloop van de laatste oefenwedstrijd tegen Frankrijk ziet er als volgt uit:

Ranglijst per juli 2012			Ranglijst per april 2014		
	Land	*Punten*		*Land*	*Punten*
1	Spanje	1691	1	Spanje	1460
2	Duitsland	1502	2	Duitsland	1340
3	Uruguay	1297	3	Portugal	1245
4	Engeland	1294	4	Colombia	1186
5	Portugal	1213	5	Uruguay	1181
6	Italië	1192	6	Argentinië	1174
7	Argentinië	1095	6	Brazilië	1174
8	**Nederland**	**1079**	8	Zwitserland	1161
9	Kroatië	1050	9	Italië	1115
10	Denemarken	1017	10	Griekenland	1082
11	Brazilië	1012	11	Engeland	1043
12	Griekenland	1003	12	België	1039
13	Rusland	981	13	Verenigde Staten	1015
14	Frankrijk	980	14	Chili	1011
15	Chili	961	**15**	**Nederland**	**967**
16	Ivoorkust	939	16	Frankrijk	935
17	Zweden	909	17	Oekraïne	913
18	Tsjechië	854	18	Rusland	903
19	Mexico	832	19	Mexico	876
20	Japan	829	20	Kroatië	871

Het Nederlands elftal is weggezakt uit de top 10, ondanks de goede kwalificatiereeks. Oorzaak zijn de magere resultaten in de oefenwedstrijden. De cijfers van de oefenwedstrijden onder Van Gaal zijn: 9 wedstrijden gespeeld, 11 punten behaald met een doelsaldo van 11-8. Daarmee is het bereiken van de doelstelling niet waarschijnlijk.

De drie opdrachten die Van Gaal meekreeg van de KNVB zijn het spelen van herkenbaar voetbal volgens de Hollandse School, het inpassen van de jeugd en zorgen dat het volk zich kan identificeren met het Nederlands elftal.

Op de website van Coaches Betaald Voetbal vinden we meer informatie over de Hollandse School. 'Voetbal is een kunstvorm. De Hollandse School is de verzamelnaam voor Nederlandse kunstenaars. Deze bijnaam is ontstaan in de bloeiperiode van de Nederlandse schilderkunst, gevoed door hun onderscheidende stijl van schilderen.

Onze voetbaltrainers zijn de Rembrandts van nu. De Nederlandse trainer/coach heeft ook zijn eigen, herkenbare stijl van mooi en aanvallend voetbal met typerende buitenspelers. Wereldwijd zijn de echte voetballiefhebbers bekend met het begrip "Totaalvoetbal". Noem ons de Cultuurdragers van het Nederlandse voetbal.'

Herkenbaar, aanvallend voetbal spelen dus, met typerende buitenspelers. De strategie van Van Gaal was vanaf het begin hierop gericht. In een teamorganisatie 1-4-3-3 werd vanaf de eerste oefenwedstrijd getracht aanvallend voetbal te spelen. De buitenspelers waren het eerste jaar van Van Gaal, tot de uitwedstrijd tegen Estland, opgesteld om vooral buitenom te gaan en Van Persie te bedienen. Dat was overigens niet de eerste keer. In de thuiswedstrijd tegen Estland op 22 maart 2013 namen Lens en Robben zelf het initiatief om van positie te wisselen. Van Gaal keurde dit echter af en liet ze terugkeren naar hun eigen posities. Vanaf de wedstrijd tegen Estland draaide Van Gaal het wel zelf om en speelde hij met buitenspelers die bij voorkeur binnendoor gaan.

Aanvallend voetbal is ook te meten aan het aantal doelpunten vóór dat gescoord is tijdens de kwalificatie en de oefenwedstrijden. Tijdens de kwalificatiewedstrijden slaagde het Nederlands elftal erin om aanvallend voetbal te spelen: 24 doelpunten vóór in acht wedstrijden. In de oefenwedstrijden, met name tegen de betere tegenstanders, lukte dat niet. Elf doelpunten voor in negen wedstrijden. Eerste opdracht deels vervuld.

De tweede opdracht: het inpassen van de jeugd. We vergelijken twee opstellingen van Van Gaal met elkaar op basis van het percentage ingepaste jeugd. In de eerste kwalificatiewedstrijd tegen Turkije speelde Van Gaal in de basisopstelling met Janmaat, Martins Indi, Willems, Strootman, Clasie en Narsingh. Het percentage ingepaste jeugd was 55%.

In de basisopstelling van de laatste kwalificatiewedstrijd, weer tegen Turkije, stonden Cillessen, Janmaat, Martins Indi, Blind, Clasie en Fer. Ook hier dus een percentage ingepast jeugd van 55%. Tweede opdracht vervuld.

De derde opdracht die Van Gaal kreeg van de KNVB is het bouwen van een Oranje waarmee het volk zich kan en wil identificeren. Deze opdracht is het minst makkelijk te objectiveren. Wat wel te objectiveren is zijn de toeschouwersaantallen. Het Nederlands elftal heeft in al zijn kwalificatie- en oefenwedstrijden veel steun gehad van het Oranje-legioen. Geen lege tribunes.

Het enthousiasme van het Nederlandse volk is ook een graadmeter voor de mate van identificatie met het Nederlands elftal. Door de aanvallende manier van spelen en de goede resultaten vanaf het begin in de kwalificatiewedstrijden is dit enthousiasme groot geweest.

Van Gaal speelt zelf ook een grote rol bij de identificatie van het Nederlandse volk. Hij heeft een haat-liefdeverhouding met de media. Ook tijdens deze periode als bondscoach bleek dat diverse keren. Veel aandacht trok de persconferentie waarbij hij aangaf te zullen juichen als Sneijder een bal afpakte van zijn tegenstander. Het lukte Van Gaal niet om zijn omgang met de media te verbeteren. Derde opdracht deels vervuld.

HET RENDEMENT OP SLEUTELMOMENTEN

Het rendement van Van Gaal kunnen we ook beoordelen met ons interventiemodel en via de spiegels van andere topcoaches. In de twee jaar die we Van Gaal hebben gevolgd viel vooral zijn kracht op tijdens sleutelmomenten. Het rendement van Van Gaal is hoog als we bijvoorbeeld kijken naar:

1. De afsluiting van het EK2012 als onderdeel van zijn entree als bondscoach
2. De keuze voor Van Persie vanuit het EK-dilemma Huntelaar vs Van Persie
3. De interventies in relatie tot sterkhouder Sneijder
4. De nieuwe strategie gebaseerd op aanvallend voetbal en provocerende pressie

Het is zijn antwoord op de eerder geformuleerde dilemma's.

In de gesprekken met sport- en voetbalcoaches was ook ruimte voor verbetering van het rendement van Van Gaal. De belangrijkste aanreikingen:

1. Na de entree als bondscoach een half jaar geen sterkhouders benoemen, dus ook geen vaste aanvoerder
2. Starten met een grotere selectie en op eigen waarneming daarna pas reorganiseren
3. Eerder duidelijkheid geven in het raamwerk van de selectie en de basisopstelling
4. Eerder duidelijkheid geven in de rangorde van de keepers

Vanuit de interviews kwamen ook innovatieve interventies naar voren. Dit is onze top 10 van zijn interventies die Van Gaal kan overwegen om toe te passen in Brazilië:

1. Drones inzetten om de trainingen van de tegenstander te analyseren
2. Een videobril voor Frans Hoek om tijdens de wedstrijd de spelhervattingen terug te kijken
3. Spelen met een vliegende keep
4. IJsbaden direct na de wedstrijd op maat (aantal minuten per speler) voor het sneller laten herstellen van spelers
5. Persoonlijke spelersmap: schrift en/of digitaal waarin spelers zelf informatie over tegenstander en eigen prestaties/ontwikkeling bijhouden. Metingen en gevoel.
6. De B-selectie ook interlands laten spelen in de voorbereiding op het WK

7. Voordracht door spelers over eerdere ervaringen, bijvoorbeeld WK
8. Vlak voor begin van het toernooi de pers uitnodigen in hotel met staf en selectie waarbij spelers een korte videopresentatie geven over voorbereiding
9. Camera's toelaten bij teambespreking
10. Scheidsrechters die de wedstrijden gaan leiden analyseren

OP NAAR HET WK!

Het rendement van Van Gaal kunnen we pas echt beoordelen op het WK in Brazilië. En dat gaan we doen. De nieuwe hoofdstukken vindt u terug in de digitale omgeving van onze uitgever (www.uitgeverijdekring.nl/louis-van-gaal). Daar zullen we blijven schrijven over de interventies van Van Gaal. Over het samenstellen van de definitieve toernooiselectie, over zijn strategie voor de poulewedstrijden, over zijn basisopstelling, over zijn wissels. Met hopelijk het antwoord op de vraag: Louis van Gaal, hoe smeed je wereldkampioenen?

COACH

1.1 **Ophalen van kennis over de club**
- [ ] 1.1.1 Inventariseren structuur en verantwoordelijkheden
- [ ] 1.1.2 Inventariseren visie en ambities club
- [ ] 1.1.3 Inventariseren spelersgroep
- [ ] 1.1.4 Inventariseren staf
- [ ] 1.1.5 Inventariseren jeugdopleiding
- [ ] 1.1.6 Inventariseren faciliteiten

- [ ] 1.2 **Opstellen persoonlijk plan**

1.3 **Vastleggen van gezamenlijke afspraken met club**
- [ ] 1.3.1 Vastleggen visie, ambities en doelstellingen van het seizoen
- [ ] 1.3.2 Vastleggen van financiële afspraken

1.4 **Beëindigen functie van coach**
- [ ] 1.4.1 Aankondigen vertrek
- [ ] 1.4.2 Overdragen van kennis en ervaring
- [ ] 1.4.3 Afscheid nemen

STAF

1.5 **Samenstellen staf**
- [ ] 1.5.1 Kennismaken met staf
- [ ] 1.5.2 Aanstellen nieuwe assistent(en)
- [ ] 1.5.3 Ontslaan van stafleden
- [ ] 1.5.4 Aanstellen overige stafleden

SELECTIE

- [ ] 1.6 **Opstellen criteria voor selectie**

- [ ] 1.7 **Opstellen profielen voor posities**

1.8 **Samenstellen selectie**
- [ ] 1.8.1 Beoordelen voorgaande selectie
- [ ] 1.8.2 Vaststellen vertrekkende spelers
- [ ] 1.8.3 Vaststellen nieuwe spelers instroom
- [ ] 1.8.4 Vaststellen nieuwe spelers doorstroom

SPELERS

1.9 **Uitvoeren analyses spelers**
- [ ] 1.9.1 Analyseren fitheid
- [ ] 1.9.2 Analyseren persoonlijkheid
- [ ] 1.9.3 Analyseren thuissituatie

1.10 **Vaststellen dragende spelers (sterkhouders)**
- [ ] 1.10.1 Vaststellen aanvoerder
- [ ] 1.10.2 Vaststellen reserve-aanvoerder
- [ ] 1.10.3 Vaststellen spelersraad
- [ ] 1.10.4 Vaststellen informele leiders

FACILITEITEN

- [ ] 1.11 **Bepalen verbeteringen faciliteiten**

TEAMSTRATEGIE

- [ ] 1.12 **Bepalen teamdoelstellingen**

- [ ] 1.13 **Bepalen teamstrategie**

- [ ] 1.14 **Bepalen teamorganisatie**

- [ ] 1.15 **Bepalen speelwijze**

START

1.16 **Creëren van gezamenlijk startpunt**
- [ ] 1.16.1 Creëren van gezamenlijk startpunt met staf
- [ ] 1.16.2 Creëren van gezamenlijk startpunt met dragende spelers
- [ ] 1.16.3 Creëren van gezamenlijk startpunt met selectie

REGELS

- [ ] 1.17 **Bepalen gedragsregels**

BUITENWERELD

- [ ] 1.18 **Beïnvloeden beleidsbepalers**

- [ ] 1.19 **Beïnvloeden beloftenelftal**

- [ ] 1.20 **Beïnvloeden jeugdselecties**

- [ ] 1.21 **Beïnvloeden andere clubs**

- [ ] 1.22 **Beïnvloeden spelers**

1.23 **Beïnvloeden media**
- [ ] 1.23.1 Creëren gezamenlijk startmoment met pers
- [ ] 1.23.2 Kanaliseren social media
- [ ] 1.23.3 Communiceren gedragsregels media en spelers

Interventiemenu voor de lezer – deel 1

WEDSTRIJDEN

☐ **2.1 Analyseren prestaties voorgaande wedstrijden eigen team**

☐ 2.1.1 Analyseren prestaties voorgaande wedstrijden team

☐ 2.1.2 Analyseren prestaties voorgaande wedstrijden spelers

☐ 2.1.3 Analyseren prestaties voorgaande wedstrijden spelers bij clubs

2.2 Analyseren prestaties voorgaande wedstrijden tegenstander

☐ 2.2.1 Analyseren prestaties voorgaande wedstrijden team

☐ 2.2.2 Analyseren prestaties voorgaande wedstrijden spelers

☐ 2.2.3 Analyseren prestaties voorgaande wedstrijden spelers bij clubs

☐ **2.3 Koppelen spelers aan profielen**

☐ **2.4 Rangschikken spelers binnen profielen**

☐ **2.5 Opstellen voorselectie**

☐ **2.6 Opstellen definitieve selectie**

☐ **2.7 Oproepen plaatsvervangers**

EINDTOERNOOI

☐ **2.8 Analyseren prestaties voorgaande wedstrijden eigen team**

☐ 2.8.1 Analyseren prestaties voorgaande wedstrijden team

☐ 2.8.2 Analyseren prestaties voorgaande wedstrijden spelers

☐ 2.8.3 Analyseren prestaties voorgaande wedstrijden spelers bij clubs

2.9 Analyseren prestaties voorgaande wedstrijden tegenstanders

☐ 2.9.1 Analyseren prestaties voorgaande wedstrijden team

☐ 2.9.2 Analyseren prestaties voorgaande wedstrijden spelers

☐ 2.9.3 Analyseren prestaties voorgaande wedstrijden spelers bij clubs

☐ **2.10 Vaststellen segmentatie selectieopbouw**

☐ **2.11 Koppelen spelers aan profielen**

☐ **2.12 Rangschikken spelers binnen profielen**

☐ **2.13 Opstellen voorselectie**

☐ **2.14 Opstellen definitieve selectie**

☐ **2.15 Oproepen plaatsvervangers**

Interventiemenu voor de lezer – deel 2

OPSTELLEN SPELERS

PERIODISERING

3.1 Opstellen periodisering
- [ ] 3.1.1 Opstellen trainingschema
- [ ] 3.1.2 Opstellen rustschema
- [ ] 3.1.3 Opstellen voedingschema
- [ ] 3.1.4 Opstellen slaapschema
- [ ] 3.1.5 Opstellen reisschema

ANALYSE

3.2 Analyseren prestaties voorgaande wedstrijden eigen team
- [ ] 3.2.1 Analyseren prestaties eigen team
- [ ] 3.2.2 Analyseren prestaties eigen spelers
- [ ] 3.2.3 Analyseren spelhervattingen

3.3 Analyseren prestaties voorgaande wedstrijden tegenstander
- [ ] 3.3.1 Analyseren prestaties tegenstander team
- [ ] 3.3.2 Analyseren prestaties tegenstander spelers
- [ ] 3.3.3 Analyseren spelhervattingen tegenstander

3.4 Analyse prestaties op trainingen eigen team
- [ ] 3.4.1 Analyseren prestaties eigen team
- [ ] 3.4.2 Analyseren prestaties eigen spelers
- [ ] 3.4.3 Analyseren spelhervattingen

WEDSTRIJDSTRATEGIE

3.5 Vaststellen strategie
- [ ] 3.5.1 Vaststellen aanvallende strategie
- [ ] 3.5.2 Vaststellen verdedigende strategie
- [ ] 3.5.3 Vaststellen strategie spelhervattingen

OPSTELLING

- [ ] **3.6 Bepalen centrale as**

- [ ] **3.7 Bepalen opstelling**

- [ ] **3.8 Maken van afspraken voor spelhervattingen**

TRAINEN

3.9 Trainen strategie
- [ ] 3.9.1 Trainen aanvallende strategie
- [ ] 3.9.2 Trainen verdedigende strategie
- [ ] 3.9.3 Trainen strategie spelhervattingen

Interventiemenu voor de lezer – deel 3

⌇⌇ BEINVLOEDEN WEDSTRIJDVERLOOP

ANALYSE

☐ 4.1 Analyseren prestaties eigen team

☐ 4.2 Analyseren prestaties tegenstander

WISSELEN

☐ 4.3 Prikkelen basisopstelling door warmlopen speler

☐ 4.4 Wisselen van speler

☐ 4.5 Wisselen van teamorganisatie

☐ 4.6 Wisselen van strategie

COMMUNICEREN

☐ 4.7 Aanwijzing geven aan speler

☐ 4.8 Aanwijzen speler bij spelhervatting

☐ 4.9 Beïnvloeden arbitraal sextet

☐ 4.10 Beïnvloeden publiek

Interventiemenu voor de lezer – deel 4

Dankwoord

Medio 2013 zijn we gestart met ons project om de prestaties van topcoaches te verbeteren. Daarmee wilden we een bijdrage leveren aan de sport, en in het bijzonder het voetbal. We wilden de coach en de voetbalsupporter laten zien hoe hoog de lat tegenwoordig ligt als je wereldkampioen wilt worden. En we wilden ook coaches in het bedrijfsleven inspireren om de prestaties van hun team te verbeteren.

Dit project heeft ons veel energie gekost, maar nog veel meer energie opgeleverd. We hebben genoten als gastdocent van de KNVB-opleiding Coach Betaald Voetbal, waar we mochten bijdragen aan de ontwikkeling van coaches. We zijn bijzonder trots op alle mooie gesprekken met topcoaches. We willen al deze coaches bedanken voor hun vertrouwen en openheid. Hun toelichting op de interventies, de goede zetten én de blauwe plekken, heeft onze kijk op het smeden van een team enorm verrijkt.

De volgende personen willen we extra bedanken omdat zij een sleutelrol voor ons speelden: Raymond Verheijen, Peter Blangé, Alex Pastoor, Toon Gerbrands en Gertjan Verbeek voor de ontwikkeling van ons interventiemodel; Nico Romeijn voor zijn vertrouwen in ons als gastdocenten bij de KNVB; Bert Bouwer, Joop Alberda, Robert Eenhoorn en Marc Lammers voor de spiegel vanuit NLCoach; Gerard Marsman voor de bijdrage van de belangenvereniging Coaches Betaald Voetbal.

Maarten Wijffels van *AD Sportwereld* en Meindert Schut van *BNR Nieuwsradio* willen we bedanken voor de hoogwaardige en duurzame samenwerking, Gerd de Smyter voor alle media-adviezen. Het enthousiasme en de kwaliteit van Marie-Anne van Wijnen en Olivier Doffegnies van onze uitgever De Kring heeft ons zeker gestimuleerd. De stimulans maar vooral de ruimte om dit project te kunnen doen hebben we ook te danken aan al onze Turner-collega's, en in het bijzonder Peter de Bruin en Jacques Pijl.

Natuurlijk staan we te popelen om de kennis en ervaringen te delen met het bedrijfsleven. Dit boek gaat over voetbal; via andere kanalen spiegelen we de prestaties van de topcoach uit het bedrijfsleven met de interventies van Van Gaal. We willen Ben Verwaayen en Doekle Terpstra bedanken voor de inspiratie dit door te zetten.

Ons boek zou er hoe dan ook nooit zijn gekomen zonder de steun en het geloof van ons thuisfront. Marieke, Sandra, Yannick en Malú: dank je wel!

Mei 2014
Jeroen Visscher en Jurgen Frumau

Bronnen

Bij het schrijven van dit boek hebben we de volgende bronnen geraadpleegd:

De Voetbaltrainer 190, magazine, 2012.

Meijer, Maarten, *Louis van Gaal. De man en zijn methode*, Thomas Rap, 2011.

Van Gaal, Louis & Andries Jonker, *Louis van Gaal. Bibliografie & visie*, Publish Unlimited, 2009.

Greven, Koen & Erik Oudshoorn, *Een elftal bondscoaches*, Tirion Sport, 2006.

Het digitale archief van *AD Sportwereld*.

De inhoud van dit boek is gebaseerd op vele interviews, gesprekken, presentaties en sessies met onder anderen: Joop Alberda, Arno Arts, Leo Beenhakker, Peter Blangé, Bert Bouwer, Peter Bosz, Jacques Brinkman, Dennis Demmers, Bert Ebbens, Robert Eenhoorn, Toon Gerbrands, Foppe de Haan, Dennis Haar, Erik ten Hag, Edwin Hermans, Henk de Jong, Marc Lammers, Gerard Marsman, Alex Pastoor, Nico Romeijn, Fred Rutten, Alfred Schreuder, John Stegeman, Maarten Stekelenburg, Gertjan Verbeek, Raymond Verheijen, Jan Wouters.

Over de auteurs

Jeroen Visscher is adviseur en partner bij organisatieadviesbureau Turner. Hij analyseert voor BNR Nieuwsradio en *AD Sportwereld* de prestaties van het Nederlands elftal. Jeroen is als gastdocent betrokken bij de KNVB-opleiding Coaches Betaald Voetbal.

Zijn primaire focus is het verbeteren van de prestaties van instellingen in de onderwijssector. Zijn specialisatie is performance improvement.

Jeroen voetbalde 26 jaar voor voetbalvereniging DOVO en was jarenlang aanvoerder van het tweede team. Hij is nu als leider betrokken bij de jeugdopleiding van VV De Meern.

Jurgen Frumau is operational excellence-adviseur bij organisatieadviesbureau Turner. Hij is als Lean Six Sigma Black Belt betrokken bij grote verandertrajecten binnen de bouw- en industriesector. Samen met Jeroen analyseert hij bij de grote toernooien de prestaties van het Nederlands elftal en zijn opponenten. Jurgen is als gastdocent betrokken bij de KNVB-opleiding Coaches Betaald Voetbal.

Jurgen speelde vanaf zijn vijfde jaar bij diverse voetbalclubs: RKSV Nuenen, VV Drienerlo en USV Hercules. Tevens was hij voorzitter van VV Drienerlo.